Bienvenue
dans le monde des

Téa Sisters

Ce livre
appartient à :

_____

Salut, c'est Téa !

Oui, Téa Stilton, la sœur de *Geronimo Stilton* ! Je suis envoyée spéciale de l'*Écho du rongeur*, le journal le plus célèbre de l'île des Souris. J'adore les voyages et l'aventure, et j'aime rencontrer des gens du monde entier !

C'est à Raxford, le collège dont je suis diplômée et où l'on m'a invitée à donner des cours, que j'ai rencontré cinq filles très spéciales : Colette, Nicky, Paméla, Paulina et Violet. Dès le premier instant, elles se sont liées d'une véritable amitié. Et elles ont tant d'affection pour moi qu'elles ont décidé de baptiser leur groupe de mon nom : Téa Sisters (en anglais, cela signifie les « Sœurs Téa »)! Ce fut une grande émotion pour moi. Et c'est pour ça que j'ai décidé de raconter leurs aventures. Les assourissantes aventures des…

Prénom : Nicky

Surnom : Nic

Origine : Océanie (Australie)

Rêve : s'occuper d'écologie !

Passions : les grands espaces et la nature !

Qualités : elle est toujours de bonne humeur…
Il suffit qu'elle soit en plein air !

Défauts : elle ne tient pas en place !

Secret : elle est claustrophobe,
elle ne supporte pas d'être
dans un espace clos !

Nicky

Nicky

Prénom : Colette

Surnom : Coco

Origine : Europe (France)

Rêve : elle fait très attention à son look. D'ailleurs, son grand rêve, c'est de devenir journaliste de mode !

Passions : elle a une vraie passion pour la couleur rose !

Qualités : elle est très entreprenante et aime aider les autres !

Défauts : elle est toujours en retard !

Secret : pour se détendre, il lui suffit de se faire un shampoing et un brushing, ou bien d'aller passer un moment chez la manucure !

Colette

Prénom : Violet
Surnom : Vivi
Origine : Asie (Chine)

Violet

Rêve : devenir une grande violoniste !

Passions : étudier. C'est une véritable intellectuelle !

Qualités : elle est très précise et aime toujours découvrir de nouvelles choses.

Défauts : elle est un peu susceptible et ne supporte pas qu'on se moque d'elle. Quand elle n'a pas assez dormi, elle n'arrive plus à se concentrer !

Secret : pour se détendre, elle écoute de la musique classique et boit du thé vert parfumé aux fruits.

Prénom : Paulina

Surnom : Pilla

Origine : Amérique du Sud (Pérou)

Rêve : devenir scientifique !

Passions : elle aime voyager et rencontrer des gens de tous les pays. Elle adore sa petite sœur Maria.

Qualités : elle est très altruiste !

Défauts : elle est un peu timide… et un peu brouillonne.

Secret : les ordinateurs n'ont pas de secret pour elle. Elle est capable de résoudre des énigmes très compliquées en récoltant mille informations sur Internet !

PAULINA

Prénom : Paméla

Surnom : Pam

Origine : Afrique (Tanzanie)

Rêve : devenir journaliste sportive ou mécanicienne automobile !

Passions : la pizza, la pizza et encore la pizza ! Elle en mangerait même au petit déjeuner !

Qualités : elle a beau avoir des manières un peu brusques, elle est la pacifiste du groupe ! Elle ne supporte ni les disputes ni les discussions.

Défauts : elle est très impulsive !

Secret : donnez-lui un tournevis et une clef anglaise, et elle résoudra tous vos problèmes de mécanique !

Paméla

Paméla

VEUX-TU ÊTRE UNE TÉA SISTER ?

Prénom : _ _ _ _ _ _ _ _ _ _

Surnom : _ _ _ _ _ _ _ _ _

Origine : _ _ _ _ _ _ _ _ _ _ _ _ _ _ _ _ _ _

Rêve : _ _ _ _ _ _ _ _ _ _ _ _ _ _ _

_ _

_ _

Passions : _ _ _ _ _ _ _ _ _ _ _ _ _ _ _ _ _ _

Qualités : _ _ _ _ _ _ _ _ _ _ _ _ _ _ _ _ _ _

_ _

Défauts : _ _ _ _ _ _ _ _ _ _ _ _ _ _ _ _ _ _

Secret : _ _ _ _ _ _ _ _ _ _ _ _ _ _ _ _ _ _

_ _

ÉCRIS ICI TON PRÉNOM !

COLLE ICI
TA PHOTO !

Texte de Téa Stilton.
*Basé sur une idée originale d'*Elisabetta Dami.
*Coordination des textes d'*Alessandra Berello *(Atlantyca S.p.A.)*.
Coordination éditoriale de Patrizia Puricelli *et* Maura Nalini.
Édition de Marta Vitali.
Coordination artistique de Flavio Ferron.
Assistance artistique de Tommaso Valsecchi.
Couverture de Giuseppe Facciotto *(dessins) et* Flavio Ferron *(couleurs)*.
Illustrations intérieures de Chiara Balleello *(dessins) et* Daniele Verzini *(couleurs)*.
Graphisme de Chiara Cebraro.
Traduction de Lili Plumedesouris.

www.geronimostilton.com

Pour l'édition originale :
© 2013, Edizioni Piemme S.p.A. – Palazzo Mondadori, Via Mondadori, 1 – 20190 Segrate – Italie
sous le titre *Una cascata di cioccolato!*
International rights © Atlantyca S.p.A. – Via Leopardi, 8 – 20123 Milan, Italie
www.atlantyca.com – contact : foreignrights@atlantyca.it
Pour l'édition française :
© 2016, Albin Michel Jeunesse – 22, rue Huyghens, 75014 Paris
Blog : albinmicheljeunesse.blogspot.com
Loi n° 49-956 du 16 juillet 1949 sur les publications destinées à la jeunesse
Dépôt légal : premier semestre 2016
Numéro d'édition : 21339
Isbn-13 : 978 2 226 32120 6
Imprimé en mars 2016 par Pollina - L75283

Téa Stilton

UNE CASCADE DE CHOCOLAT

ALBIN MICHEL JEUNESSE

Salut, les amis!

VOUS AUSSI, VOUS VOULEZ AIDER LES TÉA SISTERS DANS CETTE NOUVELLE AVENTURE? CE N'EST PAS DIFFICILE. IL SUFFIT DE SUIVRE MES INDICATIONS! QUAND VOUS VERREZ CETTE LOUPE, FAITES BIEN ATTENTION : C'EST LE SIGNAL QU'UN INDICE IMPORTANT EST CACHÉ DANS LA PAGE.

DE TEMPS EN TEMPS, NOUS FERONS LE POINT, DE MANIÈRE À NE RIEN OUBLIER.

ALORS, VOUS ÊTES PRÊTS? LE MYSTÈRE VOUS ATTEND!

Un parfum...
d'aventure!

Quand je débarquai sur l'île des Baleines ce matin-là, je fus accueillie par un **AIR** vif, un intense parfum de brise marine et... la petite voix perçante de **Porphyre**, le facteur de l'île.

– Mademoiselle Téaaa ! s'écria-t-il en s'ouvrant un **chemin** à travers la foule massée sur le port. Attendez-moi ! J'arrive !
Je lui fis **SIGNE** de la main, et l'instant d'après Porphyre me **REJOIGNIT**.

BIENVENUE !

– Le recteur m'a demandé de **VENIR** vous chercher ! expliqua-t-il, le souffle court. J'avais hâte
de vous revoir, j'en avais les poils **HÉRISSÉS**
d'impatience !

– Moi aussi, je suis contente de vous voir !
m'exclamai-je.

La **CAMIONNETTE** de Porphyre avait
pris la route en pente raide qui
montait vers le collège

de Raxford, où j'avais étudié **jeune fille** et où je donnais de temps en temps des cours de journalisme d'aventure aux nouveaux élèves. Ce jour-là, je n'étais au collège que pour rendre visite au recteur, Octave Encyclopédis De Ratis, un cher **ami** à moi.

J'avais des recherches intéressantes à lui communiquer…

Dès notre arrivée, nous

fûmes enveloppés d'un intense parfum de
CHOCOLAT !

– D'où peut bien venir cette délicieuse odeur ?
s'étonna Porphyre.

Je **SOURIS**.

– Je crois que j'ai ma petite idée...

Je dis au revoir au facteur et me dirigeai d'un
pas assuré vers le bureau du recteur. Avant que
j'aie le temps de frapper, il OUVRIT grand la
porte et m'accueillit avec chaleur :

– Ma chère Téa, quel plaisir de te voir ! s'exclama-t-il. Entre et installe-toi, je t'ai préparé
une SURPRISE.

Sur une petite table, deux tasses de chocolat
fumant nous attendaient.

– Je vois que vous aussi vous avez reçu un
cadeau spécial du dernier voyage des Téa
Sisters, lui dis-je en savourant le délicieux
breuvage.

– Exact, répondit-il. Ce chocolat arrive directement d'*ÉQUATEUR*. Je sais qu'elles t'en

ont envoyé également. As-tu des détails à me donner sur leur voyage ?

– Oui, dis-je en allumant mon ordinateur. Elles m'ont adressé un long mail avec beaucoup de **PHOTOS**. Asseyez-vous confortablement, parce que je vais vous raconter une **AVENTURE** qui sent bon le chocolat… et le **MYSTÈRE** ! Tout a commencé il y a un mois, grâce à la gourmandise bien connue de Pam…

CONTRÔLES
ET SURPRISES

Le **SOIR** était tombé sur Raxford, et presque tous les étudiants étaient rentrés dans leur chambre. Seule une porte laissait filtrer encore de la *lumière*, et l'on entendait venir de l'intérieur les chuchotements d'une conversation animée : c'était la **CHAMBRE** de Paulina et Nicky !

Les Téa Sisters s'y étaient réunies pour réviser les fonctions avant le **contrôle** de mathématiques du lendemain.

– Ça y est ! s'écria Pam d'une voix enthousiaste. La solution du problème numéro cinq, c'est 36,9 !

Nicky leva les **YEUX** de son cahier.

– Vraiment ?... Moi, je trouve 7 !

– Moi aussi, fit Colette en écho.

– Pareil pour nous, renchérirent Paulina et Violet, assises sur le tapis.

Pam bougonna, mécontente :

– **Par tous les boulons déboulonnés**, je n'y comprends vraiment rien, les filles ! J'ai moins de mal à réparer le moteur de mon 4 × 4 qu'à résoudre ces problèmes !

Colette s'approcha d'elle.

– Allons, ne te décourage pas ! On va tous les revoir ensemble.

Pam afficha un *sourire* rayonnant et dit :

– Pas avant d'avoir goûté au délice que j'ai découvert aujourd'hui !

Elle se leva et se mit à *farfouiller* dans son sac.

– Voilà ! Ces chocolats sont exactement ce qu'il nous faut pour le moral, s'exclama-t-elle en tendant au bout de ses **PATTES** une boîte à ses amies. Ils sont fabuleux ! Je voulais les manger demain après le contrôle, mais… « ne renvoie jamais à demain ce que tu pourrais déguster dès aujourd'hui » !

– Bien d'accord ! commenta Nicky en riant. D'ailleurs, certaines *études* montrent que le chocolat aide à se concentrer…

– Mmmm… Ils ont

vraiment l'air fameux… dit Paulina en défaisant l'**EMBALLAGE** du sien.

Puis, regardant mieux le papier qui enveloppait son chocolat, elle sursauta.

– Eh, mais ce nom… Pam, peux-tu me passer la boîte ?

Son **amie** obéit et dit :

– Mais que cherches-tu ? Les ingrédients ? Ne t'en fais pas, sœurette, tout est d'**excellente** quali…

Avant qu'elle puisse finir sa phrase, Paulina l'interrompit d'un **CRI** de joie :

C'EST SÛREMENT LUI !

– Antonio De Moreno… Quito… C'est forcément lui !

– Lui qui ? demandèrent en chœur ses amies.

Paulina expliqua :

– **Antonio** et moi étions à l'école ensemble ! On était

inséparables quand j'habitais encore au Pérou, et puis on s'est perdus de vue... Je me rappelle qu'il avait un grand **RÊVE** : revenir dans sa ville, Quito, en Équateur, et ouvrir une fabrique de **CHOCOLAT** ! Et je lis ici que la société **Todo-choco**, qui produit ces délicieux chocolats, a justement son siège à Quito, et que son propriétaire s'appelle... Antonio De Moreno !

– Autrement dit, ton ami Antonio a réalisé son **RÊVE** ! conclut Nicky.

– Exactement ! Comme j'aimerais pouvoir en parler avec lui... répondit Paulina.

Puis elle se leva et se dirigea vers son ordinateur en murmurant :

– Qui sait si...

Et l'instant d'après, elle exultait :

– Hourra ! J'ai trouvé son adresse mail !

– Essaie de lui *écrire*, suggéra Nicky.

– Euh... il y a si longtemps... fit Paulina d'un ton indécis. Il ne se souviendra sûrement pas de moi...

– **TU PARLES !** s'écrièrent ensemble les autres Téa Sisters pour l'encourager. Les vrais amis, on ne les oublie jamais. *Allez, écris-lui !* Paulina décida de suivre leur conseil et écrivit un long message.

Le lendemain matin, les filles se RÉUNIRENT à la fin du contrôle de mathématiques. Sûres d'avoir réussi, elles se dirigèrent vers la chambre de Paulina.

Elles ne savaient pas encore qu'une grande surprise les y attendait...

Sur l'écran de l'ordinateur de Paulina, en effet, clignotait le signal qu'un COURRIEL était arrivé.

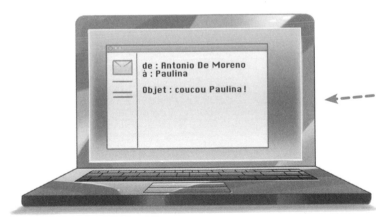

de : Antonio De Moreno
à : Paulina

Objet : coucou Paulina !

– C'EST ANTONIO ! dit-elle aussitôt. Il m'a répondu !

– Et que dit-il ? Il se SOUVIENT de toi ?

– Oui, il me raconte ce qu'il a fait ces dernières années et... Les filles, VOUS N'ALLEZ PAS LE CROIRE ! s'exclama Paulina, tout étonnée. Antonio nous invite à visiter sa chocolaterie !

– **Nom d'une clef à mollette !** exulta Pam. Je vais enfin pouvoir réaliser mon rêve ! Ses amies la regardèrent, les yeux RONDS.

– De quel RÊVE parles-tu, Pam ? lui demanda Violet.

Pam leur adressa un clin d'œil.

– Simple... devenir *dégustatrice en chocolat !*

LE ROI
DU CHOCOLAT

Quelques semaines plus tard, les Téa Sisters, assises sous une véranda entourée de plants de bananiers, savouraient une délicieuse tasse de chocolat.

Les filles avaient en effet décidé d'accepter l'invitation d'Antonio et, dès la fin du dernier semestre de cours, s'étaient précipitées pour réserver un vol en direction de l'*ÉQUATEUR*.

Antonio était venu les chercher à l'aéroport de Quito, la capitale du pays, et les avait emmenées dans le **PETIT** village où il vivait avec son cousin Hector.

Ils habitaient tous deux une jolie maison en BOIS nichée dans la verdure.

Les Téa Sisters s'installèrent juste à côté, dans une construction plus petite réservée aux **INVITÉS**. Leurs bagages défaits, elles avaient rejoint Antonio sous la véranda.

Paulina et lui se mirent à évoquer l'époque où ils étaient à l'*école* ensemble.

– Tu te rappelles le jour de la rentrée des classes ? Ta famille et toi, vous veniez d'arriver d'*ÉQUATEUR*, et tu ne connaissais personne au Pérou…

Antonio éclata de rire.

– C'est vrai, j'étais complètement perdu ! Je ne trouvais même pas la salle de classe. Si tu n'étais pas venue me chercher par la main, je crois que j'y serais encore !

Paulina sourit, **émue** à ce souvenir, puis elle dit :

– C'était la belle époque ! Et depuis, tu as fait un sacré bout de chemin, Antonio… Tu as réalisé ton rêve !

– Tout le mérite en revient à mon cousin Hector, expliqua le garçon en SOURIANT en retour. J'ai hâte de vous le faire rencontrer ! Il a été le premier à croire à mon projet d'ouvrir une fabrique de chocolat. Ça n'était pas évident, parce que je voulais que ce soit moderne et qu'on respecte la nature. Vous devez savoir que nous avons éliminé l'utilisation des pesticides* dès la plantation des fèves de cacao. Ça n'a pas été facile au début, et j'ai parfois cru que mon projet ne survivrait pas à tant de difficultés ! Et puis, grâce à l'aide de tous ceux qui travaillaient avec nous, nous avons réussi ! Et à présent nous voilà même en lice pour le prestigieux prix **Top Choco** !

– Un prix ? s'exclamèrent en chœur les Téa Sisters. De quoi s'agit-il ?

Antonio expliqua :

– Une fois par an, en Équateur, un jury d'experts venus du monde entier vote pour

désigner la meilleure qualité de chocolat produite dans le pays. La chocolaterie Todochoco
a été sélectionnée grâce au **Black Special**...

– Le Black Special ? On dirait un nom de
moteur ***TURBO*** ! dit Pam.

Antonio eut un grand rire.

– Non, non... C'est le plus fin et le plus aro-
matique de tous nos **CHOCOLATS**, il a une
saveur marquée, mais il est fondant et en même
temps... Bon, les mots ne servent à rien, le
mieux, c'est... de le goûter ! conclut-il en sor-
tant de son sac une tablette enveloppée d'un
PAPIER DORÉ.

Les filles, intriguées, en prirent chacune un
morceau.

– **Nom d'un petit
boulon !** Ça, c'est du
chocolat ! Le roi du cho-
colat, même ! s'écria Pam,
les yeux brillants.

– C'est vraiment exquis ! renchérit Violet. Vous allez remporter le premier prix, c'est sûr !

– Espérons ! dit Antonio. Mais pour le moment allons visiter la chocolaterie **Todochoco** : mon cousin Hector nous y attend pour une visite de la fabrique et des PLANTATIONS.

Les filles lui emboîtèrent toutes le pas. Toutes ? Pas exactement, car Pam traîna en arrière pour faire main basse sur ce qui restait de la tablette de **Black Special**.

QUE C'EST BON !

– Pam, que fais-tu ? demanda Paulina.

– Je ne pouvais quand même pas laisser là un chocolat aussi **merveilleux**, répondit son amie. Si les concurrents tombaient dessus, ils pourraient essayer de le copier…

– Donc, mieux vaut faire DISPARAÎTRE les preuves, n'est-ce pas ? fit Paulina avec un clin d'œil.

Toutes les deux partirent d'un bon rire et grimpèrent avec les autres dans le ▨▨▨ d'Antonio. Destination : Todochoco !

LA FORCE D'UN RÊVE

Une demi-heure plus tard, Antonio garait le 4 × 4 devant l'entrée de la fabrique **Todochoco**, une grande construction en bois sur laquelle une enseigne brillait de tous ses feux.

En descendant de voiture, les Téa Sisters remarquèrent un chemin de terre qui longeait le bâtiment pour aller se perdre dans un bosquet d'arbustes chargés de fruits orangés.

Colette, intriguée, s'approchait d'un de ces petits arbres, quand une VOIX derrière elle répondit d'avance à sa question :

– Oui, ce sont les fruits du cacaoyer, mais ils ne sont pas encore mûrs.

Colette se retourna et vit un garçon aux cheveux noirs et au regard profond.

– Bienvenue ! Je suis **Hector**, le cousin d'Antonio, dit-il pour se présenter. Et ce que vous voyez là, c'est une des PLANTATIONS de cacao de notre entreprise.

Puis il s'approcha des arbustes et dit :

– Il s'agit d'une variété très appréciée : c'est notre grand-père Imasu qui nous en a fait

C'EST UN CACAOYER !

cadeau. Il en cultivait depuis des années sur les pentes des collines en bas des **VOLCANS**. D'ailleurs, notre plus grande plantation est là-bas.

Le garçon cueillit alors un gros fruit orange et, en s'aidant d'un petit couteau recourbé, l'ouvrit en deux : à l'intérieur, on voyait une VINGTAINE DE GRAINES.

– Voici les fèves de cacao, expliqua-t-il, à partir desquelles nous fabriquons tous nos produits.

– C'est avec ces graines qu'on obtient ce **délice** des délices ? demanda Pam, dubitative, en montrant la tablette de **Black Special**.

– Mais oui ! s'exclama Hector en éclatant de rire. Mais c'est tout un travail pour arriver jusque-là. Venez, nous allons vous montrer.

Interloquées, les filles **SUIVIRENT** leurs amis, qui les emmenèrent visiter la fabrique en leur détaillant avec **passion** tout le processus de transformation de la fève jusqu'au chocolat.

– Après la récolte, dit **Hector**, les fèves sont rangées dans de grosses caisses en bois, puis recouvertes de grandes feuilles de bananier. On les laisse alors **fermenter** entre cinq et sept jours. C'est pendant cette phase que les graines développent leur ARÔME particulier.

Antonio ajouta :

– Après quoi, on les met à SÉCHER à l'air libre.

Les **filles** passèrent à côté d'un groupe de jeunes gens qui VERSAIENT les fèves de cacao sur de larges étagères en bois.

Pour finir, Antonio les invita à entrer dans un bâtiment occupé par ce qui ressemblait à des fours géants.

– C'est ici que les fèves sont ouvertes puis torréfiées. Elles seront ainsi prêtes à être moulues pour faire la **POUDRE DE CACAO**… mais nous n'allons pas tout vous révéler aujourd'hui ! Cela, vous le verrez demain.

Le garçon précisa avec ORGUEIL :

– Tout est fait selon les méthodes traditionnelles et en respectant la nature.

– Par tous les boulons déboulonnés, s'écria Pam, vous méritez vraiment de remporter le **Top Choco** !

Un incident et une découverte

Cette nuit-là, les Téa Sisters rêvèrent toutes... de **CHOCOLAT** !

Colette rêva qu'elle avait inventé une huile essentielle de cacao qui avait un *parfum* extraordinaire. Violet avait écouté un quatuor à cordes... en chocolat, que les musiciens

dévoraient à la fin du concert ! Dans son rêve, Paulina préparait avec sa *petite sœur* Maria des bonbons en chocolat. Nicky COURUT toute la nuit dans une immense plantation de cacao et Pam confectionna le plus haut gâteau au chocolat du monde !

Après une nuit aussi délicieuse, les filles se réveillèrent d'EXCELLENTE humeur.

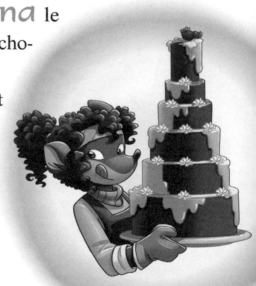

– J'ai hâte de continuer notre voyage à la découverte des secrets du chocolat… et de pouvoir enfin y goûter ! s'exclama Pam quand elles arrivèrent devant la fabrique **Todochoco**.

Antonio leur avait promis qu'elles assisteraient à la fabrication du Black Special, ce **CHOCOLAT** amer que Pam avait tant apprécié la veille.

Mais la seule amertume qui les accueillit fut l'expression sur le visage d'Antonio.

– BONJOUR, LES FILLES… Malheureusement, nous allons devoir changer de programme, dit le garçon en les rejoignant.

– Il s'est passé quelque chose ? demanda Paulina.

– Oui, confirma Antonio.

Dans la cuve du chocolat le plus pur, nous avons trouvé une

énorme quantité de FRUITS ! Impossible de comprendre comment c'est arrivé !

– Nom d'un boulon grippé ! s'écria Pam. Et les fruits ont gâté le délicieux chocolat ?

Antonio soupira :

– Je crains que oui. L'ajout d'un ingrédient imprévu ALTÈRE irrémédiablement le goût du chocolat.

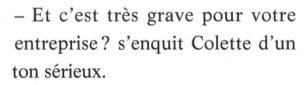

– Et c'est très grave pour votre entreprise ? s'enquit Colette d'un ton sérieux.

– Hélas, oui. Des litres et des litres de CHOCOLAT sont à jeter. Et nous avons perdu plusieurs jours de travail ! expliqua Hector, qui sortait au même moment de la FABRIQUE.

– Cela tombe vraiment mal, juste quand nous étions à deux doigts de remporter un prix IMPORTANT ! ajouta son cousin.

– Vous avez une idée de ce qui s'est passé ? les interrogea Violet.

– Je n'en sais rien. Je suppose qu'une caisse qui aurait dû contenir du beurre de cacao était en fait une caisse de **FRUITS**... répondit Antonio.

– Il est possible que quelqu'un qui travaille ici ait commis une **ERREUR** ? reprit Violet.

– Difficile à croire, dit Hector, en secouant la tête. Il y a beaucoup plus qu'une simple distraction. Pour Todochoco, **LES CONSÉQUENCES SERONT TERRIBLES, HÉLAS !**

– Est-ce que quelqu'un aurait pu s'introduire dans vos locaux cette nuit ? voulut alors savoir Nicky.

– Non ! assura Antonio d'un ton ferme. **PERSONNE** ne ferait une chose pareille !

Hector lui posa la main sur l'épaule.

– J'ai peur que quelqu'un ne l'ait fait, cousin.

Paulina intervint :

– Mais qui pourrait bien…

– **AAAAAAAH !**

– Pam ! s'écrièrent les Téa Sisters à l'unisson en reconnaissant la voix de leur amie.

Ils se précipitèrent à l'intérieur, d'où le cri était parvenu. Le parfum de chocolat était enivrant, mais les filles ne pensaient qu'à une chose : retrouver Pam.

– **Elle est là-bas !** fit Paulina en désignant une masse de cheveux frisés qui dépassait derrière une des cuves.

– Pam ! Qu'est-ce que…

– **CHOMP CHOMP...** Je suis ici... **CHOMP...**

Manifestement, Pam mangeait quelque chose et se régalait.

– Tu vas bien ?!

– Je vais parfaitement **BIEN**, les filles. Je me suis juste un peu trop penchée au-dessus de la cuve où il y avait les fruits… et j'ai failli tomber dedans !

– Tu nous as fait PEUR ! soupira Colette. Mais… qu'es-tu en train de manger ?

– C'est un morceau de figue de Barbarie. J'ai voulu y goûter : c'était TRÈS SUCRÉ, et avec le fondant du chocolat c'est un délice !

– Vraiment ? s'étonna Antonio. J'aurais plutôt pensé que les fruits gâcheraient le goût du chocolat…

– Peut-être pas, remarqua Paulina. Ce bout de fruit de la Passion me semble BON… Et même TRÈS BON !

– Ici, il y a de la banane, dit Antonio en récupérant des morceaux recouverts de CHOCO-LAT… et là, de la papaye !

Hector leur lança un coup d'œil tandis qu'ils s'amusaient à repêcher les fruits et murmura :

– Les amis…

Mais nul ne lui prêtait attention, chacun ne pensant qu'à retrouver les fruits dans le chocolat.

– Les amiiis ! s'exclama-t-il d'un ton ferme.

Tous se retournèrent d'un seul coup.

– Qu'y a-t-il ? demanda Antonio.

– J'ai eu une **iDée** ! Ou plutôt, c'est Pam qui l'a eue.

– Moi ? fit celle-ci en finissant de Déguster un morceau de poire.

Hector acquiesça :

– La prochaine création de **Todochoco** sera du chocolat amer avec des morceaux de fruit !

GRANDE IDÉE, PAM !

BRAVO, COUSIN !

Un nouveau contretemps

Grâce à la gourmandise de Pam et à l'INTUI-TION d'Hector, l'incident des fruits s'était transformé en un nouveau projet.

Antonio et Hector se mirent aussitôt au travail, pendant que les filles décidaient de partir à la découverte des merveilles de l'*ÉQUATEUR*!

– J'aimerais vous accompagner, mais à l'EN-TREPRISE on a besoin de nous... s'excusa Antonio.

– Ne t'en fais pas! lui répondit Paulina. Nous ne risquons pas de nous ennuyer! Hein, les filles?

Les autres Téa Sisters acquiescèrent avec enthousiasme.

Peu après, elles se **réunissaient** toutes sous la véranda pour décider de l'endroit où elles iraient.

– Alors : à partir de **Quito**, il y a plusieurs excursions qu'on peut faire en une journée... dit Violet en examinant la carte. Par exemple, au volcan Cotopaxi...

– Mais c'est là-bas que sont les principales PLANTATIONS de Todochoco. Antonio a dit qu'il nous emmènerait les **VISITER** dans quelques jours.

LE VOLCAN COTOPAXI !

– C'est vrai... Dans ce cas, nous pourrions visiter Quito. Ou bien Otavalo, une petite ville célèbre pour son *marché aux tissus*, et...

– Un marché aux tissus ? s'écria Colette, dont les

RÉPUBLIQUE D'ÉQUATEUR

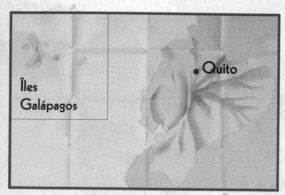

Îles
Galápagos

• Quito

Capitale : Quito
Gouvernement : république
Langue officielle : espagnol
Habitants : environ 15 millions
Superficie : 283 560 km²

L'ÉQUATEUR occupe la partie nord-ouest de l'Amérique du Sud, et sa côte s'ouvre sur l'océan Pacifique.
Le pays tient son nom du fait qu'il est traversé par l'équateur. Les îles Galápagos, à plus de 1 000 kilomètres des côtes, en font également partie. C'est un archipel connu pour être habité par une multiplicité d'espèces végétales et animales, notamment une célèbre espèce de tortues.

LE DRAPEAU de l'Équateur est composé de trois couleurs, dont chacune a une signification précise : le jaune représente la fertilité des terres ; le bleu, la mer et le ciel ; le rouge, l'amour des citoyens pour leur patrie.

yeux brillaient. Ce serait magnifique !
Dans ce pays, ils ont des *étoffes* sublimes !
On pourrait en faire des sacs, des vête-
ments… mille choses encore !
– Dans ce cas, il faut tout de suite y aller !
ironisa Pam.
– C'est vrai, les **filles** ? Je ne voudrais pas vous imposer mes goûts…
dit Colette.
– Pas de problème… À une condi-
tion : si tu trouves de belles étoffes, tu
fabriques un sac à **CHACUNE DE NOUS** !
plaisanta Violet.
Et trois heures après, les Téa Sisters se promenaient, ravies, entre
les ÉTALS du marché d'Otavalo.
– Tout est tissé à la main… Quelle
merveille ! remarqua Violet, tandis que
Colette admirait de splendides COLLIERS et
boucles d'oreilles.

OTAVALO est une petite ville qui se dresse au pied des volcans. Ici a lieu le plus ancien marché d'Équateur! Outre les tissus qui font la renommée des tisserands de la région, on y trouve de nombreux produits d'artisanat local.

– Est-ce qu'il me va ? demanda Paulina en essayant un chapeau voyant à larges **RAYURES**.

– Là-bas, il y a des tambours fantastiques ! s'exclama Violet.

C'était comme si **chacune** des Téa Sisters trouvait sur ce marché sa parcelle de bonheur.

Le temps passa comme l'**éclair**, et les filles furent ravies ce soir-là de rentrer dormir les bras chargés de tous leurs achats.

Elles virent qu'Antonio leur avait déposé un *message* :

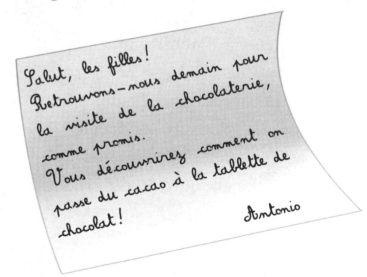

Salut, les filles !
Retrouvons-nous demain pour la visite de la chocolaterie, comme promis.
Vous découvrirez comment on passe du cacao à la tablette de chocolat !

Antonio

– **GÉNIAL !** J'ai hâte de voir ça ! se réjouit
Paulina avant de se glisser sous les couvertures.
Le lendemain MATIN, les filles se réveillèrent
de bonne heure, tout excitées.

Leurs premiers jours en Équateur avaient été
riches en découvertes, et bien
des SURPRISES les atten-
daient encore.

Hector et Antonio étaient
devant la fabrique pour les
accueillir, le SOURIRE
aux lèvres.

LE CHOCOLAT PAM !

– Hier, nous avons passé
la journée à réfléchir sur
cette nouvelle *spécia-*
lité de chocolat aux fruits,
dit Antonio. Nous avons décidé
que les tablettes s'appelleraient **Pam**, en
l'honneur de celle qui a découvert que d'un mal
pouvait sortir un bien !

Pam exultait :

– **NOM D'UN PISTON**, un chocolat portera mon nom ! Pour une nouvelle, c'est une nouvelle !

Hector sourit.

– Et maintenant, **ALLONS-Y** ! Nous vous avions promis une visite.

Devant le **PORTAIL** d'entrée, cependant, les deux cousins s'arrêtèrent net.

– Ce n'est pas possible… murmura Antonio. La grille est déjà ouverte ! Qui a bien pu entrer ?!

– Là, quelqu'un qui s'échappe ! cria Hector en **montrant** une silhouette qui s'éloignait rapidement de la **CHOCOLATERIE**.

UNE COURSE-POURSUITE !

Hector se lança à la **POURSUITE** du mystérieux personnage, le rattrapa en quelques foulées et l'apostropha :

– Maintenant, tu vas nous **EXPLIQUER** ce que…

TOI ?!

Mais avant de terminer sa phrase, voyant de qui il s'agissait, il sursauta.

– **C'EST TOI ?!** s'exclama le garçon, incrédule.

– Luz ?! fit en écho Antonio, qui avait **REJOINT** son cousin en même temps que les Téa Sisters,

et reconnu lui aussi la fuyarde. Qu'est-ce que tu fais ici ?

– Oui ! Alors, tu nous expliques ? demanda Hector, d'une voix **GLACIALE** tout à coup. Pourquoi es-tu entrée dans la chocolaterie ?

– Je... commença la **jeune fille**, en baissant les yeux. Je voulais juste...

– Quoi ? insista Hector, agressif. Tu voulais peut-être nous faire une autre *FARCE*... comme avec les fruits ?

Luz releva la tête, **BLESSÉE** par ce ton, et rétorqua :

– Quelle farce ? Tu penses vraiment que je suis ici pour... pour vous jouer un mauvais tour ?

De nouveau, elle baissa des **YEUX** voilés de larmes, puis dit :

– Je vois que tu es resté le même, Hector ! Tu n'écoutes personne !

Colette s'aperçut qu'elle cachait quelque chose dans son dos. Mais avant qu'elle puisse le dire

aux autres, LUZ réussit à se détacher de la prise d'Hector et partit en courant, DISPARAISSANT bientôt de la vue du groupe.

Les Téa Sisters, qui avaient assisté ébahies à cette scène, s'approchèrent d'Hector, visiblement TROUBLÉ par cette rencontre.

– Mais… qui était cette fille ? demanda Nicky.

Le visage d'Hector se fit plus dur.

CE N'ÉTAIT PERSONNE !

– PERSONNE ! dit-il avec aigreur. Ce n'était personne ! Et à présent, excusez-moi, mais il vaut mieux VÉRIFIER si de mauvaises surprises ne nous attendent pas À L'INTÉRIEUR.

Le garçon n'ajouta rien et S'ÉLOIGNA, plongé dans de sombres pensées. Antonio intervint alors :

– Ne faites pas attention…

– Donc, vous CONNAISSEZ

cette fille… mais entre Hector et elle, apparem-
ment, les relations ne sont pas au beau fixe…
commenta Colette.

– En effet, **soupira** Antonio en se laissant
tomber sur un banc appuyé contre le mur de la
fabrique. C'est une vieille histoire. Je vais vous
la raconter…

L'HISTOIRE DE LUZ

Les Téa Sisters firent cercle autour d'Antonio, **CURIEUSES** d'entendre l'histoire de la jeune fille mystérieuse.

Leur ami prit une large respiration et commença :

– **Hector** et LUZ se connaissent depuis l'école primaire et ont toujours été liés par une amitié très forte. Ils étaient inséparables : ils faisaient leurs devoirs ENSEMBLE, passaient tout leur temps libre côte à côte et rêvaient de faire de grandes choses... Bien sûr, ils avaient constamment des PRISES DE BEC, parce qu'ils sont aussi orgueilleux et entêtés l'un que l'autre. Mais on voyait bien que leur *amitié* était profonde et sincère...

– Et puis, qu'est-il arrivé ? le pressa Colette.
Hector avait vraiment l'air furieux...

– **IL L'EST**, en effet, reconnut Antonio. C'est
arrivé il y a deux ans, quand nous avons décidé
de fonder **Todochoco**. Luz était enthou-
siasmée par l'idée, et elle a participé active-
ment à tous les plans pour monter l'entreprise.
Nous avons suivi ensemble la **RESTRUC-
TURATION** de l'ancienne fabrique

et le travail dans les plantations. Le projet était déjà bien **lancé** et les premières commandes arrivaient, quand, tout à coup, Luz est partie !

– Quoi ? s'écrièrent les Téa Sisters à l'unisson.

– Pour aller où ? demanda Paulina.

– Pourquoi ? renchérit Colette.

– Qu'a-t-elle dit ? continua Nicky.

– Et... commença Pam.

– Les filles ! intervint Violet. Une question à la fois, laissons à Antonio le temps de répondre ! Le garçon SOURIT et reprit :

– Luz nous a quittés sans aucune explication et elle est partie travailler ailleurs, chez *Superchoko* !

– Superchoko ? fit Paulina. Je crois qu'à Otavalo j'ai vu des publicités à ce nom-là... Ils font du chocolat, non ?

– Exact, confirma Antonio. C'est la plus grande marque de chocolat par ici...

– Donc, comprit Paulina, ce sont vos **CONCURRENTS** !

– Oui, en effet. Mais ce n'est pas le seul problème, poursuivit Antonio. Superchoko ne s'intéresse qu'à l'argent. Ils utilisent des PESTICIDES à tout-va et ils exploitent les terres de manière intensive, sans jamais respecter les CYCLES NATURELS...

– Ce qui est exactement l'inverse de votre philosophie et de vos méthodes de production ! s'exclama Colette.

Antonio acquiesça et regarda les filles.

– Vous pouvez imaginer comment Hector a pris la chose...

– **NOM D'UN PISTON GRIPPÉ**, il a dû en être malade ! fit Pam.

Les Téa Sisters se turent, désolées. Comment une **amitié** comme celle d'Hector et Luz pouvait-elle finir ainsi, du jour au lendemain ?

– Elle ne vous a donné vraiment aucune **EXPLICATION** ? demanda finalement Violet.

– Non, aucune. Je sais seulement que quelques jours plus tard Hector est allé la voir, mais elle est restée très vague et l'a traité avec **FROI-DEUR**, comme un étranger. À partir de là, Hector a cessé de prononcer son nom, et il s'est comporté comme si **LUZ** n'avait jamais fait partie de sa vie !

Colette poussa un **LONG SOUPIR** :

– Cette histoire est… tellement triste !

Antonio réagit aussitôt :

– Tu as raison, Colette, c'est **TRISTE**. Dire que vous êtes ici pour vous amuser ! Allons, secouons-nous : je vous avais promis de vous faire assister à la fabrication du **Black**

Special... Le roi du chocolat nous attend !

Sur ces mots, il se leva et marcha en direction de la **FABRIQUE**, entraînant les Téa Sisters dans son sillage.

Alors qu'elles entraient, Colette ne pouvait s'empêcher de penser à l'histoire de Luz et Hector, et elle se demandait s'il n'y avait pas un moyen de ramener la **paix** entre ces deux vieux amis.

Un deuxième incident

Le récit de l'amitié ruinée entre Hector et Luz continua de tourner dans la tête de Colette, même au moment de s'endormir.

Mais au MATIN un soleil chaud et lumineux était là pour saluer les Téa Sisters, que les cousins avaient invitées sur la véranda pour un vrai petit déjeuner.

– Mmmm... des œufs brouillés, des petites pommes de terre, des fruits frais et des tortillas* ! Quelle merveille ! s'exclama Nicky, humant les bonnes odeurs de cette nourriture typique qu'Antonio leur servait.

Pam s'était déjà installée à la grande table de la véranda et remplissait son assiette de petites **BOULES** pâles présentées sur un grand plat.

– C'est… wouarf… c'est quoi ? demanda Violet, encore tout ensommeillée, comme d'habitude.

– Je ne sais pas, répondit Pam, mais c'est bien *appétissant* !

Antonio éclata de rire.

– On les appelle *pan de yuca*, ce sont des boulettes de pain à base de farine de tapioca et de **fromage**, c'est délicieux avec du yoghourt ! conclut-il en posant sur la table une cruche qui **débordait** de yogourt frais aux fruits.

Les filles dégustaient chaque bouchée et se détendaient : les tensions de la veille semblaient n'être plus qu'un **vilain souvenir**.

Hector aussi paraissait plus tranquille, et **plaisantait** avec ses nouvelles amies.

– Alors, les filles, quel est votre programme aujourd'hui ? Vous ne devez pas avoir très envie de revenir avec nous à la chocolaterie…

– Ce serait un **problème** ? demanda Nicky, un peu déçue.

– Absolument pas ! répondit Hector. Mais par une aussi **belle journée**, ce serait dommage de rester enfermées… Pourquoi ne faites-vous pas une belle excursion ?

Antonio approuva :

– L'**ÉQUATEUR** est rempli de merveilles, et vous n'avez goûté que celles de sa cuisine…

– C'est vrai, dit Colette dans un grand sourire. Pourquoi ne pas nous préparer un **itinéraire** sympathique, Paulina et toi ? Et nous, en attendant, nous irions avec Hector à son **TRAVAIL** !

Paulina se mit à rougir, reconnaissante à Colette de cette gentille **iDée** : depuis leur arrivée, elle n'avait pas eu un instant seule avec son vieil ami

Antonio. Et ils avaient hâte de se *parler*...
Évoquer leurs souvenirs communs, leurs projets
et leurs rêves d'autrefois, et se **raconter** les
nouveaux !

Antonio appréciait aussi la proposition :

– Cela me ferait vraiment plaisir, mais le devoir
m'appelle...

Hector lui ébouriffa les cheveux.

– Certes... ton devoir d'hospitalité envers
nos amies ! Laisse les filles M'ACCOM-
PAGNER. Paulina et toi, vous
concocterez un beau parcours
touristique !

Les **filles** se retrou-
vèrent ainsi à nouveau
face à l'entrée de Todo-
choco.

– Pendant que Paulina
et Antonio refléchissent,
nous ferons un TOUR de

RESTE AVEC PAULINA !

reconnaissance, dit Hector en les guidant à l'intérieur. Je le fais chaque matin, pour vérifier si tout est en **ORDRE**.

Une fois encore, les visiteuses se plongèrent dans l'univers MAGIQUE du chocolat, là où les fèves sont sélectionnées, torréfiées, broyées et mélangées, avant d'être coulées pour se TRANSFORMER en délicieuses tablettes.

Tout paraissait en ordre, jusqu'au moment où Hector s'approcha d'un air SOUCIEUX de la machine à torréfier.

– Quelque chose ne va pas ? demanda Nicky en le rejoignant.

– Hélas oui ! s'exclama le garçon. La machine est bloquée !

– **Nom d'un boulon déboulonné !** Laisse-moi jeter un coup d'œil, dit Pam en examinant attentivement la machine. La roue centrale qui fait tourner les graines est **ENDOMMA-GÉE**, elle fonctionne mal.

Hector demanda à l'ouvrier chargé de la machine de tout **éteindre**.

Puis il hocha la tête et dit amèrement :

– On n'avait pas besoin de ça ! Un dimanche, en plus, quand le **MÉCANICIEN** spécialisé ne travaille pas… Je ne peux plus croire que ce soit une coïncidence !

Découragé, il lança un grand coup de pied dans un sac de fèves de cacao, qui s'éparpillèrent en tous sens. Colette s'approcha de lui.

– **S'énerver** ne sert à rien ! Pas plus que se désespérer : tu n'as peut-être pas ton mécanicien spécialisé, mais nous… nous avons le nôtre !

Surpris, Hector leva les **YEUX** : Pam avait déjà commencé à intervenir sur la machine, le geste précis et la main sûre, comme si elle connaissait **PARFAITEMENT** son affaire.

– Hector, j'ai peur que tu n'aies raison : vos ennuis ne sont pas le fait du hasard, votre

machine a été SABOTÉE ! conclut la jeune fille après quelques minutes.

– JE LE SAVAIS ! siffla Hector entre ses dents. Si seulement j'avais la preuve de la personne qui…

– Tu suspectes QUELQU'UN ? demanda Nicky.

Hector ouvrit la bouche pour répondre, mais Pam le devança :

– On s'en occupera plus tard ! Apportez-moi des gants et une caisse à OUTILS… Dans une demi-heure, vous pourrez reprendre la torréfaction !

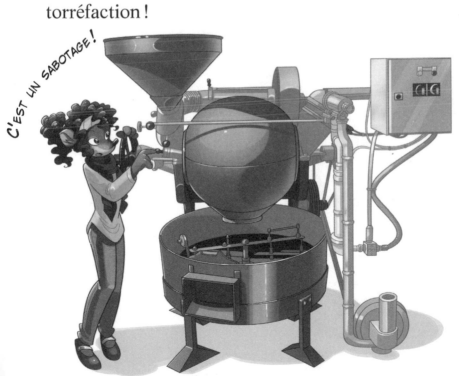

C'EST UN SABOTAGE !

SUSPICIONS ET DISPUTES

Paulina et Antonio, pendant ce temps, étaient restés sur la véranda et consultaient une touristique. Une fois tracé un itinéraire possible, ils s'étaient mis à bavarder sans plus voir le temps PASSER.

Il était arrivé tant de choses pendant ces longues années d'**éloignement** !

Après les premières confidences, les paroles et les **ÉCLATS DE RIRE** s'étaient succédé en torrent.

HA HA HA !

Ce fut Antonio qui se rendit compte que l'heure était venue d'aller à **Todochoco**.

Personne, cependant, n'avait remarqué leur absence... Les **DOMMAGES** causés au torréfacteur retenaient l'attention générale. Heureusement, Pam avait réussi, comme **PRO-MIS**, à le réparer et la production avait repris de plus belle.

– Je ne comprends pas, commenta Paulina quand les autres leur eurent raconté ce qui était arrivé. Qui pourrait avoir d'aussi MAUVAISES intentions à votre égard ?

– Ce n'est pas difficile, répliqua Hector avec amertume. Il existe une personne qui nous a tourné le dos pour **Passer** à la concurrence... et qui depuis nous a dédaig...

Antonio le coupa :

– Tu ne veux quand même pas parler de...

– Luz, oui, précisément. Elle nous a lâchés quand nous étions en **difficulté**, et à présent que nous connaissons le succès elle veut nous freiner…

– TU N'ES PAS SÉRIEUX ! rétorqua Antonio. Luz a toujours été notre amie…

– Toujours ? Dois-je te rappeler qu'elle nous a quittés pour *Superchoko* sans aucune explication ?

– Je sais, mais ça ne veut pas dire qu'elle soit prête pour autant à SABOTER notre fabrique !

– Eh bien, moi, je crois que oui. C'est forcément

elle qui est derrière les FRUITS versés dans la cuve de chocolat. Tu l'as bien vue se sauver en courant, oui ou non ?

– Oui, mais je suis sûr qu'il y a une raison ! Luz est une fille bien, et tu es en train de l'accuser injustement, sans la moindre preuve !

Hector haussa les épaules.

– Si c'est ce que tu penses... alors, vas-y, toi aussi, en excursion touristique. Tu ne me sers à rien, ici !

Un instant, Antonio fixa son cousin, incrédule. Puis il éclata :

– Ah bon. Tu mérites en effet de rester tout seul !

Et il quitta la FABRIQUE d'un pas vif.

Les Téa Sisters le suivirent.

– Antonio, tu es sûr de vouloir venir avec nous ?

– Absolument. Vous l'avez entendu comme moi, non ? Je ne lui sers à rien. Qu'il se débrouille !

Les filles échangèrent des COUPS D'ŒIL. Elles auraient voulu parler avec Antonio, mais ce dernier était bien trop en colère pour les écouter.

Ce fut seulement une demi-heure plus tard, en arrivant dans la vieille ville de **Quito**, lieu que Paulina et Antonio avaient choisi comme première étape de la journée, que les Téa Sisters tentèrent de revenir sur le *sujet*.

– Tu sais, quelquefois, avec ma petite sœur, nous avons de grandes PRISES DE BEC… commença Paulina d'un ton dégagé.

– Moi, j'ai plein de frères et sœurs, continua Pam. Si tu savais combien on se dispute quand on est tous **ensemble** !

– Entre nous cinq aussi, d'ailleurs, de temps en temps il y a des grincements, dit Nicky.

– **Mais on s'aime**, ajouta Violet. Et quand nous sommes en colère, nous essayons de ne pas nous dire des choses que nous pourrions regretter.

– Parce que les gens qu'on aime sont un **trésor** précieux, qui demande attention et respect. Même dans les moments de grands désaccords, conclut Colette.

Antonio **FIXA** ses nouvelles amies : sa rage était retombée, et il commençait à regretter d'avoir **LAISSÉ** son cousin tout seul… même si c'était lui qui l'avait envoyé paître !

– Hector est tellement entêté… lâcha-t-il. Mais c'est aussi pour ça que je l'aime ! Pour moi, c'est le meilleur des cousins au monde.

Les Téa Sisters avaient touché juste : peu après, Antonio les quittait pour courir à la chocolaterie faire la paix avec Hector.

– Cette histoire avec **LUZ** n'a jamais été éclaircie. C'est pour cette raison qu'Hector est si **MAL** disposé à son égard, fit remarquer Paulina une fois qu'elles furent seules.

– Et si nous nous en occupions, nous, de l'**ÉCLAIRCIR** ? s'exclama Colette.

Les autres la regardèrent, étonnées.

Leur amie Colette semblait avoir un plan !

QUITO

Initialement appelée San Francisco de Quito, QUITO, capitale de l'Équateur, est une ville animée située à 2 800 mètres de hauteur. Cette altitude fait d'elle la seconde capitale la plus haute du monde (après La Paz, en Bolivie).

Elle fut fondée au XIVᵉ siècle sur les ruines d'une antique cité habitée par les Incas, et doit son nom à un peuple encore plus ancien, les Quitus. La beauté de son architecture l'a fait inscrire en 1978 par l'UNESCO au patrimoine de l'humanité. Le centre historique abrite plus de 40 églises, de grandes places et de nombreux monuments.

L'église San Francisco constitue avec son monastère un ensemble imposant qui se dresse au cœur de la vieille ville. Commencée en 1550 environ, sa construction dura cent cinquante ans. C'est un joyau de l'architecture, où se mêlent avec élégance des styles différents.

L'église San Francisco

À LA RECHERCHE DE LUZ

Colette commença par demander à Paulina de chercher l'adresse de Luz, que celle-ci parvint à trouver.

– D'abord, dit Colette, je veux la RENCONTRER et parler avec elle. J'ai la sensation que l'histoire est plus compliquée qu'Hector ne s'imagine… Et puis, elle pourrait avoir vu quelque chose, l'autre jour, à la CHOCOLATERIE, expliqua-t-elle à ses amies.

– Je viens avec toi, proposa Nicky, prenant dans son sac à dos une grande carte de la ville. Tu as toujours de bonnes idées, mais pas tout à fait le sens de l'ORIENTATION… Il te faut quelqu'un qui t'aide à te repérer !

Colette fronça les sourcils, puis éclata de RIRE.

– Tu as raison, l'union fait la force !

ALLONS PAR LÀ !

Pendant que les autres RETOUR-NAIENT au siège de Todochoco, Colette et Nicky s'aventurèrent dans les rues de la ville, marchant vers la zone de banlieue où habitait LUZ.

– Jolie promenade, non ? dit Nicky après une demi-heure de marche d'un pas soutenu.

– À vrai dire… je me sens un peu fatiguée, répondit Colette d'une voix plaintive. Sur la carte, c'était plus près…

– Courage, nous sommes presque arrivées ! Ce doit être cette maison là-haut.

Nicky indiquait une maison blanche à la façade DÉCRÉPIE, d'apparence modeste.

– Tu es sûre ? s'étonna Colette. Elle a l'air abandonnée…

Comme elles s'approchaient, des volets s'ou-vrirent brusquement au rez-de-chaussée, frôlant la tête de Nicky, qui s'écarta à temps.

– LUZ ! s'écria Colette, en voyant la jeune fille à la fenêtre.

Cette dernière sursauta.

– Mais… vous êtes les amies d'Hector ! Que faites-vous ici ?

– Nous sommes venues pour parler avec toi, annonça Nicky.

– Ah oui ? Vous en avez après moi, vous aussi ? retorqua Luz, agacée.

– Non, nous voulons seulement te poser quelques questions sur les cousins De Moreno et sur Todochoco, dit Colette.

– Pourquoi ? Il est arrivé quelque chose ? demanda Luz, une note d'ALARMÉ dans la voix.

Ce fut Nicky qui lui répondit :

– Il semblerait que quelqu'un essaie de saboter l'entreprise. D'abord, des fruits sont tombés

dans la cuve du chocolat amer, ensuite quelqu'un a ENDOMMAGÉ la machine à torréfier...

Luz resta silencieuse un moment, avant d'exploser :

– Vous voulez m'accuser, c'est ça ?

– Absolument pas ! s'exclama Colette. Nous connaissons l'histoire de ton amitié avec Hector, et nous sommes sûres que malgré toutes vos INCOMPRÉHENSIONS tu es encore très attachée à lui...

Luz semblait touchée. Elle faillit dire quelque chose, mais se contenta de secouer la tête. Après quelques instants, elle murmura :

– Tout cela appartient au PASSÉ. Hector et moi, à présent, n'avons plus rien à nous dire.

Mais Colette n'avait pas l'intention d'abandonner.

– Tu en es sûre ? J'ai vu l'autre jour que tu avais avec toi une ENVELOPPE... C'était une lettre pour lui ?

Luz eut un petit sursaut, mais reprit vite son assurance.

– Tu te trompes, je n'avais pas d'enveloppe.

– Mais… moi, au contraire…

– Désolée, les **filles**, mais je n'ai rien de plus à vous dire.

À cet instant, une voix l'appela de l'**intérieur** de la maison.

– Ma mère a besoin de moi. Je dois vous dire au revoir, fit Luz **EN S'ÉLOIGNANT** rapidement de la fenêtre.

Nicky et Colette échangèrent un regard perplexe. Peu après, elles entendirent la voix de la mère de **LUZ** :

– Avec qui parlais-tu donc, *morenita**?

– Des amies d'Hector, répondit la jeune fille.

Sa mère soupira :

 Qui a raison à propos de l'enveloppe ? Pourquoi ne pas vérifier, p. 57 ?

* En espagnol, *morenita* est un petit surnom affectueux qui veut dire « brunette ».

– Tu ne crois pas qu'il vaudrait mieux **ÉCLAIRCIR** les choses avec lui ? Je suis désolée qu'à cause de nous tu aies été obligée…

Puis la voix décrut : toutes les deux s'étaient **DÉPLA-CÉES** dans une autre pièce.

– Coco, tu as vraiment vu Luz tenir une **ENVELOPPE** ? demanda Nicky.

– Oui, je l'ai vue ! Et je suis presque certaine que c'était une lettre d'**amour** !

– Une lettre d'amour ?! répéta son amie, dubitative.

– Une *déclaration*, celle que Luz n'a jamais eu le courage de faire à Hector directement. Mon flair ne se trompe jamais !

– Peut-être… Mais il est tard maintenant ! Mieux vaut aller retrouver les autres à la **chocolaterie**, conclut Nicky.

EXCURSION-SURPRISE

Après l'expédition à travers la ville pour retrouver Luz, Colette était épuisée. Ce soir-là, elle s'endormit à la vitesse de l'*ÉCLAIR*.

Le lendemain matin, elle espérait pouvoir profiter d'une belle journée de repos, mais ses **amies** avaient un autre programme, comme elle s'en rendit compte dès que Nicky lui remit un casque rose.

– Tu ne veux pas que je mette cette **CHOSE**, au risque de ruiner ma mise en plis ? protesta-t-elle.

– C'est **INDISPENSABLE** pour faire du mountain bike, répliqua Nicky. En plus, c'est ta couleur préférée !

– Oui, mais… Un instant : c'est quoi, du **mountain bike** ?!

– Imagine un peu : Antonio et **Hector** ont pris leur journée pour faire avec nous une sortie à vélo dans les collines des environs ! expliqua Nicky, tout SOURIRE. Presse-toi, ils sont déjà en bas !

Colette n'eut plus d'autre choix que de mettre le casque rose. Dehors, à côté de cinq VTT flambant neufs, les attendaient Antonio et Hector.

– PRÊTES, LES FILLES ?

– Me voilà ! s'écria Pam en les rejoignant, un énorme sac sur les épaules.

– Pam, qu'y a-t-il là-dedans ? lui demanda Paulina.

– Juste **un peu** de provisions pour la route : pan de yuca, tortillas… et de l'eau à volonté !

– Nous avons intérêt à faire vite un pique-nique, alors ! commenta Hector en riant.

Bientôt, ils étaient tous en selle, roulant en direction de la campagne.

– C'est merveilleux ! soupira Violet en admirant le panorama.

– Nous allons suivre un parcours sur les flancs du Pasochoa, un VOLCAN éteint, expliqua Antonio. Vous allez beaucoup aimer !

Les Téa Sisters pédalaient en file indienne derrière les deux garçons. Le paysage était si fascinant qu'elles ne se rendirent pas compte du temps qui passait, jusqu'au moment où Antonio proposa :

– Les filles, que diriez-vous de faire une pause ? Moi, j'ai un peu faim… et ce PETIT COIN là-bas m'a l'air parfait pour pique-niquer !

– Ouiii ! s'exclama Pam, enthousiaste.

L'instant d'après, le groupe était assis sur une grande couverture.

– Eh, Paulina, arrête de me chatouiller, dit Pam gaiement en retirant son bras, alors qu'elle sortait les pan de yuca de son sac.
Les autres filles SE MIRENT À RIRE.
– Pam, reprit alors Hector, ce n'est pas Paulina qui te chatouille, c'est… ton nouveau copain!
Pam se retourna d'un coup et… se retrouva

HÉ HÉ HÉ

LE LAMA

Le lama

Le lama est un animal de la famille des CAMÉLIDÉS, originaire d'Amérique du Sud.

Depuis des temps très anciens, il a été DOMESTIQUÉ par les populations autochtones, qui l'utilisaient pour des travaux dans les champs et pour sa précieuse laine.

La tradition voulait qu'on offre aux rois incas un lama blanc, harnaché d'un tissu rouge et or et orné d'un collier de coquillages.

face à face avec un lama qui la FIXAIT, alléché par ses provisions !

– Non-non-non ! Ce n'est pas pour toi ! L'animal, contrarié, fit demi-tour et s'en alla d'un pas CHALOUPÉ.

– Notre pique-nique est sauvé ! dit Paulina en riant. Nous allons enfin pouvoir nous

REPOSER et goûter toutes ces délicieuses provisions…

Mais Paulina se **trompait**. Cette fois, ce fut un garçon pédalant à toute allure sur un petit vélo rouge qui les interrompit.

– **Pedrito !** s'écria Hector en bondissant sur ses pieds.

Il avait reconnu l'un des ouvriers de **Todo-choco** affectés aux plantations du sud. Que se passait-il ?

IL Y A UNE URGENCE !

– Monsieur Hector... monsieur Antonio... fit le garçon en *HALETANT* pour reprendre son souffle. Je suis parti le plus vite possible à votre recherche... il y a une **URGENCE**... la plantation de la zone sud... elle est attaquée par un **PARASITE** !

– Quel désastre ! s'exclama Antonio. C'est notre plantation principale ! Alors qu'il ne reste que quelques jours avant la remise du PRIX !

– Un autre incident... ou, plutôt, un autre SABOTAGE ! lâcha Hector.

Antonio prit la situation en main et proposa :

– Paulina et moi, nous irons à la plantation pour comprendre ce qui s'est passé. Toi, Hector, retourne à la CHOCOLATERIE avec les filles... Nous ne pouvons pas nous permettre qu'il arrive encore quelque chose !

Alerte aux parasites !

Antonio et Paulina se **LANCÈRENT** sur le sentier qui menait à la plantation. Ils pédalaient en **SILENCE**, chacun dans ses pensées, jusqu'au moment où ils furent en vue de la grande étendue de plants de cacaoyer.

– **NOUS Y SOMMES !** s'exclama le garçon.

L'instant d'après, ils atteignaient une esplanade de terre où des paysans inquiets discutaient, sans savoir quoi faire.

– Monsieur Antonio ! s'écria l'un d'eux aussitôt qu'il le vit **ARRIVER**. Heureusement, vous voilà !

– Que se passe-t-il ? demanda Antonio.

– La situation est grave, expliqua un autre

PAYSAN tout en accompagnant Antonio et Paulina vers les cacaoyers. La plantation a été BRUSQUEMENT attaquée par un insecte qui est en train de dévorer les feuilles et les fruits !

Il détacha alors une feuille et leur montra les signes laissés par les parasites.

– Il y en a des centaines, continua-t-il. Et ils

REGARDEZ !

attaquent en plusieurs endroits de la plantation.

– Est-ce qu'une chose **semblable** s'est déjà produite ? demanda Paulina d'une voix grave. Antonio secoua la tête.

– Il y a déjà eu quelques cas... **Mais jamais une invasion pareille !**

– Et que pouvez-vous faire ? poursuivit la jeune fille.

Un des **OUVRIERS** fit un pas en avant et proposa :

– Il faut employer une dose massive de PESTICIDE... Il n'y a pas d'autre solution.

– Non ! Ça, jamais ! s'opposa Antonio. Notre entreprise n'utilise que des méthodes naturelles. Je n'ai **JAMAIS** employé ce genre de produits et je ne veux pas commencer à le faire maintenant !

– *MAIS... QUE FAIRE ?* reprit le premier paysan. Nous risquons de perdre la récolte !

Antonio se tut un LONG instant.

Que devait-il faire ? Abandonner l'agriculture biologique* ? Ou bien risquer de perdre la récolte, et peut-être même la plantation tout entière ?

Le garçon repensait à tout le temps passé à cultiver ces plants avec soin, en s'appuyant sur le savoir ancien de son grand-père Imasu...

– **Bien sûr ! J'ai trouvé !** s'exclama-t-il soudain.

Puis il se tourna vers Paulina.

– La seule personne qui puisse nous sauver, c'est GRAND-PÈRE IMASU ! Il faut qu'on aille chez lui, tout de suite !

* Par « agriculture biologique », on entend les cultures qui n'utilisent pas d'engrais chimiques ni de pesticides, n'appauvrissent pas les sols et ne polluent pas l'environnement.

LE CONSEIL DU GRAND-PÈRE

Le grand-père Imasu vivait dans une vallée sur les pentes d'une **MONTAGNE** non loin de là. Antonio et Paulina remontèrent à vélo pour aller le plus vite possible chez lui.

Entre eux planait un SILENCE lourd de pensées moroses, que Paulina brisa par une question :

– Antonio, crois-tu que c'est encore un SABO-TAGE ?

Le garçon, qui n'avait rien dit jusque-là, avoua :

– Je ne sais qu'en penser, Paulina. Cette invasion subite d'insectes me paraît en effet un peu louche… Et puis, il y a eu tous les autres contretemps…

– Mais crois-tu toi aussi, comme Hector, que LUZ a quelque chose à y voir ?

Antonio hocha la tête, EMBARRASSÉ.

– Je n'en ai jamais été convaincu, mais à présent je ne sais plus quoi penser ! En tout cas, quelqu'un veut gâcher notre production et nous empêcher de remporter le PRIX !

– Et comment pourrait-il vous en empêcher ? demanda Paulina.

– Le **Top Choco** ne récompense pas seulement le meilleur chocolat, il récompense aussi la MEILLEURE entreprise. Le jury visite les locaux avant de décider du prix, et avec tous les problèmes que nous avons eus ces derniers temps, nous risquons de perdre cette OCCASION !

Paulina pensait à ce que ce prix représentait pour son ami Antonio, qui avait tout investi, son énergie, son argent, son temps de travail, dans ce grand rêve. Elle chercha les **MOTS** pour lui exprimer combien elle était proche de lui, mais ils *ARRIVAIENT* déjà en vue d'une baraque en pierre entourée d'un POTAGER.

QUELLE SURPRISE!

Antonio descendit de vélo et frappa à la porte, où apparut l'instant d'après le visage sympathique d'un vieil homme au regard encore bien **vif**.

– Grand-père Imasu ! s'exclama le garçon en le serrant dans ses bras avec **AFFECTION**.

Le grand-père les fit entrer à l'intérieur de sa maison, où ils prirent place autour d'une table.

Antonio expliqua ce qui venait d'arriver à la PLANTATION de la zone sud et grand-père Imasu écouta sans rien dire.

Pour être plus précis, le jeune homme avait apporté une des feuilles de cacaoyer attaquée par le fameux PARASITE.

Il la lui montra et demanda :

– Que faire ? Est-ce qu'il n'y a vraiment pas d'autre solution que les PESTICIDES ?

Grand-père Imasu se leva, attrapa son chapeau et dit avec un SOURIRE :

– Mon petit, la nature parfois nous crée des problèmes... mais elle fournit aussi les remèdes ! Suivez-moi !

Le vieux rongeur emmena les deux jeunes dans son potager, où il ramassa quelques tubercules et expliqua :

– Ce sont des patates douces, c'est un répulsif pour les insectes. Répartissez-les abondamment autour des plants de cacaoyer et vous verrez qu'elles CHASSERONT rapidement ces petits intrus.

Ensuite, cherchez les trous que les insectes ont creusés dans les troncs des plants et dans lesquels ils nichent : bouchez-les en les frottant de gros savon à lessive, et votre plantation sera sauvée !

Antonio remercia son grand-père : sa *sagesse* leur avait fourni la solution définitive et... écologique !

DESTINATION : SUPERCHOKO !

Pendant ce temps, Hector et les autres Téa Sisters étaient revenus à la chocolaterie **Todo-choco**.

– Quelle malchance ! D'abord tous ces incidents, et maintenant ces **PARASITES** ! murmura Colette d'un ton chagriné.

Hector eut un sourire amer et dit :

– La malchance, c'est quand quelque chose SE PASSE MAL. Alors que nous, nous avons été sabotés... Et je sais qui est **COUPABLE** !

Les filles échangèrent un regard inquiet.

– Tu ne crois tout de même pas que c'est encore LUZ ? demanda Violet.

– Il n'y a qu'une seule façon d'avoir la réponse.

Suivez-moi ! dit Hector, qui se dirigeait vers la **CAMIONNETTE** qui leur servait pour les livraisons.

Une fois à bord, les filles furent enveloppées par un **délicieux** arôme de chocolat. Ce parfum les réconforta aussitôt !

– Tu verras, tout va s'arranger, dit Colette à **Hector**, qui s'était installé aux commandes. Mais le garçon ne répondit pas. Absorbé dans ses pensées, il s'accrochait au volant, le regard **sombre** comme un ciel de tempête.

Le reste du voyage se fit en silence, jusqu'à ce qu'ils arrivent à **DESTINATION**.

– On y est, bougonna Hector.

– Mais que faisons-nous ici ? C'est... le siège de **Superchoko** ! s'exclama Pam en indiquant le grand bâtiment

de verre et de **béton** devant lequel ils s'étaient arrêtés.

L'enseigne des principaux concurrents de **Todochoco** étincelait dans le soleil.

Hector se dirigea d'un pas décidé vers l'intérieur, suivi par les **filles**.

– Bonjour. Nous cherchons mademoiselle Luz Mendoza, dit-il au gardien.

– Troisième étage, second bureau à droite, répondit celui-ci sans même **LEVER** la tête.

Hector marcha sans hésiter vers les ascenseurs et en appela un.

– Je ne crois vraiment pas que Luz ait quelque chose à voir dans les INCIDENTS qui sont arrivés ! s'écria Colette d'un ton incrédule.

– Il n'y a pas d'autre possibilité, répliqua Hector, le REGARD dur.

Colette ne dit rien, mais elle était sûre au fond de son cœur que l'ancienne amie d'Hector ne pouvait pas être la personne qui cherchait à le SABOTER.

Quand ils furent au troisième étage, le garçon frappa plusieurs fois à la porte du bureau de Luz, sans réponse. Alors il OUVRIT la porte en grand : la pièce était vide.

– Vous cherchez quelqu'un, jeunes gens ? grinça une voix désagréable derrière eux.

Du fond du couloir arrivait un homme dont l'expression n'avait rien d'amical.

– Oui, s'il vous plaît. Nous voudrions savoir où nous pourrions trouver... commença Colette.

Mais le rongeur lâcha, stupéfait :

– **De Moreno ?** Que viens-tu faire ici ?

– **Alvarez**... murmura Hector pour toute réponse.

Puis, tourné vers ses amies, il précisa :

– C'est le propriétaire de Superchoko.

– Exactement, ricana l'autre. Et toi, en revanche, tu es cette espèce de **RÊVEUR FOU** de Todo-choco ! Tu es venu voir comment fonctionne une véritable entreprise ?

– QUE VOULEZ-VOUS DONC DIRE ? s'exclama Hector en serrant les poings. Que la mienne n'en est pas une ?!

– Bah ! De vieilles méthodes, on respecte ceci, on respecte cela... Ce n'est pas de cette façon qu'on fait des affaires, mon garçon ! Ha ha ha !

– Eh bien, au contraire ! Ils ont un grand succès ! explosa Violet, IRRITÉE.

– Ne l'écoute pas, Vivi : il veut juste provoquer Hector, intervint Colette.

Elle s'adressa alors directement à Alvarez :

– Nous cherchons LUZ Mendoza.

– Ah, oui, Mendoza… Un sacré caractère, mais elle travaille très bien. Il y a cependant quelques jours qu'elle n'est pas venue.

– Est-elle MALADE ? demanda Nicky.

– Qu'est-ce que j'en sais ? Si ça se trouve, elle est chez elle pour s'occuper de sa famille, ou alors elle est en vacances ! Je ne peux pas être derrière tous mes employés !

– ALLONS-NOUS-EN, les filles, chuchota Pam. Ce type est vraiment antipathique et je ne crois pas qu'il puisse nous aider.

Hector acquiesça et déclara d'une voix forte :

– Nous partons d'ici !

– Très bien ! On travaille, ici. Pas comme à **Todochoco**, où on préfère faire mumuse avec des fruits... Du **CHOCOLAT** aux baies empoisonnées, c'est ça ? Ha ha ha !

Hector allait répliquer, quand Colette le prit *délicatement* par le bras.

– Sortons d'ici ! Et mettons-nous le plus vite possible à la recherche de **LUZ**.

Qu'y a-t-il de bizarre dans les remarques d'Alvarez ?

Colette enquête

Une fois à l'extérieur de *Superchoko*, le groupe souffla un peu.

– **Nom d'un vieux boulon grippé**, jamais vu un olibrius pareil ! éclata Pam.

– Tu peux le dire ! Je me demande comment Luz a pu décider de **TRAVAILLER** pour lui… ajouta Nicky, avant de s'apercevoir que le regard d'Hector s'était assombri. Quoi qu'il en soir, nous n'avons rien **DÉCOUVERT** d'utile.

– Peut-être parce que nous n'avons pas bien regardé ! intervint Colette.

– **QUE VEUX-TU DIRE ?** demanda Hector.

– Que si Luz avait vraiment monté un plan pour saboter **Todochoco**, elle pourrait avoir fait des recherches et pris des notes sur son ordinateur !

– C'est possible, admit Hector. Mais comment faire pour le découvrir maintenant ?

– Laisse-moi m'en occuper, fit Colette d'un air entendu. J'ai vu dans la SUPERCHOKO-CITÉ quelque chose qui pourrait nous servir... Pourrions-nous y prendre deux tenues de travail et deux caisses en carton ?

Quelques minutes après, Colette et Nicky, vêtues de deux salopettes grises et les cheveux cachés sous des casquettes, pénétraient à nouveau à l'intérieur de Superchoko, chacune tenant devant elle une grande caisse en carton.

– Des paquets à déposer au troisième étage, dit Colette d'une voix grave au gardien, qui, toujours aussi distrait, se contenta d'indiquer de la main les ascenseurs.

– Comment va-t-on s'organiser ? l'interrogea

Nicky tandis qu'elles montaient. Je n'ai pas encore bien compris ce que tu as l'intention de faire...

– Toi, tu restes de **GARDE** dans le couloir, pendant que moi je cherche des informations dans l'ordinateur. Il ne faut pas qu'Alvarez nous découvre !

Colette se faufila dans le bureau vide de Luz et se **DIRIGEA** aussitôt vers l'ordinateur.

Elle l'alluma rapidement, mais s'aperçut alors qu'il fallait entrer un **MOT DE PASSE**...

– Oh non... Qu'est-ce que ça peut bien être ?

murmura-t-elle, entendant au même **instant**
des pas résonner dans le couloir.

D'instinct, Colette se cacha sous le bureau, le
COEUR battant la chamade.

Devant la porte, Nicky s'était aperçue du coin
de l'œil qu'**Alvarez** approchait, et elle
marcha vers lui dans le couloir, tenant bien haut
la **CAISSE** en carton pour cacher son visage.

Alvarez hésita un instant, mais Nicky se glissa
EN HÂTE dans le bureau le plus proche en
annonçant :

– Un paquet à vous livrer !

Le rongeur qui occupait ce bureau la fixa d'un œil ahuri en baissant ses lunettes.

– Un paquet pour moi ?

– En fait, non… je me suis trompée d'étage ! s'excusa Nicky.

Puis elle jeta un COUP D'ŒIL dans le couloir : plus aucune trace d'Alvarez.

Avec un SOUPIR de soulagement, elle retourna à son poste devant la porte du bureau de Luz.

Colette, pendant ce temps, était revenue devant l'écran de l'ordinateur.

– *OnsecalmeOnsecalmeOnsecalmeOnsecalme...* En général, le mot de passe est quelque chose qui touche de près le **COEUR** de la personne... et si c'était...

Très vite, elle tapa le mot «morenita», ce petit nom que la maman de Luz avait utilisé.

– *Accès autorisé ! Youpi !* s'écria-t-elle, oubliant un instant toute discrétion.

Puis elle remarqua un dossier appelé «Recherches TC».

– TC... Comme **Todochoco** !

Dans les pages de ce dossier se trouvaient de nombreuses informations sur l'entreprise des cousins De Moreno : le plan du **BÂTIMENT**, mais aussi des notes sur le chocolat aux fruits ou sur les dégâts mécaniques du torréfacteur, et d'autres détails encore sur les parasites...

Colette resta figée à regarder l'écran. Elle ne pouvait pas le croire : pourtant, toutes ces informations semblaient prouver

la culpabilité de **LUZ** !
Était-il possible que son instinct l'ait **TROMPÉE** et qu'Hector ait eu raison de douter d'elle ?

Elle décida de ne pas se précipiter tout de suite sur ces conclusions et de se contenter d'inscrire des informations utiles.

Elle s'apprêtait à sortir, quand elle remarqua un carnet posé sur le bureau. Elle l'ouvrit et lut la dernière *note* prise par Luz, qui semblait correspondre à une adresse. À ce moment précis, **TROIS** coups légers à la porte lui firent comprendre que, selon Nicky, le moment était venu de filer en douce.

Elle recopia **EN HÂTE** l'adresse, éteignit l'ordinateur et sortit.

Dans le hangar

Colette et Nicky rejoignirent les autres, qui les attendaient près de la █████████ ███████████.

– Alors, vous avez découvert quelque chose ? demanda Hector, ANXIEUX.

– Eh bien... oui. Il y a un dossier avec des informations sur **Todochoco**...

– Je le savais ! éclata le garçon. J'avais deviné dès le début que...

– N'**allons** pas tout de suite aux conclusions ! suggéra Violet. Il y a peut-être une explication...

– J'espère que oui déclara Colette. En tout cas, j'ai **TROUVÉ** ceci.

Et elle montra à ses amis la feuille sur laquelle elle avait noté l'adresse du carnet.

– **ALLONS-Y !** s'écria Hector en bondissant au volant de la camionnette.

L'adresse correspondait à un hangar un peu DÉGLINGUÉ situé à l'extérieur de la ville.

Les Téa Sisters explorèrent aussitôt l'intérieur, vaste et POUSSIÉREUX. Des outils en tout genre s'entassaient dans tous les coins, dans le plus grand désordre.

– Quel drôle d'endroit… commenta Nicky.

– Quel rapport y aurait-il avec Superchoko… et avec Luz ? s'interrogea Violet.

Soudain, dans la pénombre, on entendit un léger bruit qui ressemblait à un sanglot.

– **Vous avez entendu ?** demanda Colette.

Hector lui répondit :

– Je n'ai rien entendu. En revanche, regardez ce que j'ai trouvé.

Le garçon montra une pile de CAGETTES

de fruits vides et un peu sales, avec des morceaux de **FRUITS** restés collés ici et là.

– Eh! Là-bas, il y a un vieux camion avec de drôles de **BOÎTES** cachées dedans... Elles ont des petits trous pour l'air, peut-être pour transporter des **INSECTES**!

– Il y a aussi des outils : des tournevis, des clefs anglaises... Et si c'était le repaire du *SABO-TEUR*? s'écria Nicky.

À ce moment-là, on entendit clairement un bruit provenant du fond du hangar.

– Qui est là? Montrez-vous! ordonna Hector.

Une silhouette émergea de la **PÉNOMBRE**, la tête penchée.

– LUZ !

– Hector, je... je ne...

– Toi ! C'est toi qui as tout ORGANISÉ ! Comment as-tu pu !?

– Ce n'est pas vrai ! rétorqua la jeune fille, avec un regard fier où brillaient les LARMES. Tu n'as jamais rien compris !

– Je comprends ce que je vois : tu es là, dans ton repaire, au milieu de tout le matériel qui t'a servi à nous SABOTER ! Et tu n'as pas honte de...

– **ARRÊTE !** cria Luz. Tu es toujours aussi impulsif qu'avant. Si je suis ici, c'est forcément la preuve à ton avis que je suis COUPABLE !

– Mais dans le cas contraire, que fais-tu ici ? demanda Violet.

– Je voulais juste poursuivre mon enquête...

– Ton ENQUÊTE ?! répéta Colette.

– Oui. Depuis quelque temps, je me suis aperçue que chez Superchoko quelqu'un complotait contre **Todochoco**, et j'ai tout fait pour comprendre qui c'était. Et puis, je suis tombée sur cette adresse et…

– Mensonges! Que des mensonges! explosa Hector. Tu nous as abandonnés quand nous avions le plus besoin de toi et tu es passée

à la concurrence… Et maintenant tu voudrais me faire croire que tu essaies de nous aider ?

Luz eut un SOURIRE amer.

– Hector, tu n'as jamais compris pourquoi j'avais quitté Todochoco… Au fond, comment l'aurais-tu pu ? Je ne t'ai jamais dit toute la VÉRITÉ. Mais le moment est venu de tout te dire.

Les aveux de Luz

Luz baissa les **YEUX**, comme si elle espérait trouver sur le sol les mots justes pour raconter enfin la vérité.

– Moi, je ne voulais pas vous *abandonner*... murmura-t-elle finalement. J'y ai été obligée.

– Ben voyons ! éclata Hector, **FURIEUX**.

– Laisse-la parler, dit Violet en fronçant les sourcils. Je crois qu'elle a quelque chose de très *IMPORTANT* à te dire.

– Te rappelles-tu combien c'était difficile, au début ? reprit Luz. Nous venions d'ouvrir et PERSONNE ne croyait en nous... Les affaires ne marchaient pas.

Hector, cette fois, se contenta d'acquiescer.

– Ce que je ne t'ai pas dit, c'est que ma famille avait des **DIFFICULTÉS** économiques de plus en plus graves. Maman et moi sommes restées seules, et quand mon grand-père est tombé malade... eh bien... je... j'ai dû...

– Accepter l'offre de *Superchoko*, suggéra doucement Nicky.

Luz hocha la tête.

– **Alvarez** avait besoin d'un agronome*... et moi, j'avais besoin de l'argent que je pouvais gagner chez lui. Il fallait que j'aide ma *famille* !

– Mais... mais pourquoi tu ne me l'as jamais dit ? s'exclama Hector, incrédule.

– Tu ne comprends donc pas ? **J'AVAIS HONTE !** Ton cousin et toi, vous étiez libres de rêver à votre avenir et de vous battre pour ces rêves-là, mais moi, je devais **PENSER** d'abord à nourrir ma famille !

Des **LARMES** silencieuses sillonnèrent le visage de Luz, qui se tut. Hector s'approcha d'elle.

* Un agronome est un chercheur en agriculture qui a pour tâche de trouver de nouvelles techniques pour améliorer les cultures.

– Tu me crois, maintenant ? demanda la jeune fille.

– Je… je ne comprends pas… J'étais convaincu que tu étais partie par *égoïsme* !

Luz secoua la tête.

– Ce n'est pas le cas. J'avais mes raisons, mais je n'arrivais pas à t'en parler. J'étais trop **orgueil-leuse**, et toi, trop ENTÊTÉ !

– Vous êtes vraiment toujours les mêmes, l'un et l'autre ! dit alors une voix qu'on n'avait pas

J'AVAIS MES RAISONS...

entendue depuis longtemps : à l'entrée du hangar venaient d'apparaître Paulina et Antonio.

– **Ça y est, vous voilà !** s'exclamèrent les autres Téa Sisters.

Paulina déclara :

– Colette m'a envoyé un message avec cette adresse et nous nous sommes précipités. Nous rentrons de la plantation : le problème des PARASITES est résolu !

ANTONIO ! PAULINA !

– Et peut-être aussi le problème de l'amitié perdue… dit Colette avec un sourire en désignant **Hector** et LUZ. C'était un énorme malentendu !

Luz eut un faible SOURIRE.

– J'ai enfin réussi à tout expliquer.

Pam répliqua :

– C'est vrai ! Mais le mystère des SABO-TAGES, lui, reste à éclaircir…

– Tu fais erreur, Pam, intervint Violet. Je crois que maintenant tout est clair !

QUE DIRIEZ-VOUS DE FAIRE LE POINT SUR LA SITUATION ?

– Quelqu'un essaie de saboter l'entreprise d'Hector et d'Antonio.

– Le coupable travaille sans doute à Superchoko, l'entreprise concurrente.

– Hector était persuadé que c'était Luz, mais il se trompait. Qui d'autre est-ce, dans ce cas ?

L'INTUITION DE VIOLET

Dans un même mouvement, tous se **RETOUR- NÈRENT** vers Violet.

– Qu'est-ce que tu veux dire, Vivi ? demanda Colette.

– Commençons par **sortir** de ce hangar, ensuite je vous expliquerai.

Le groupe se réunit à l'**ombre** d'un grand arbre.

– Bon, réfléchissons. Luz, tu as dit que tu soupçonnais **QUELQU'UN** de Superchoko de comploter contre Todochoco, n'est-ce pas ?

– Oui, confirma la jeune fille. Je n'ai jamais trouvé de véritable preuve, mais les incidents qui se sont produits m'ont mise en **ALERTE**.

Et comme ils étaient tous jaloux, chez Superchoko, à l'idée que le prix serait certaine-
ment donné aux cousins De Moreno, j'ai
pensé que quelqu'un essayait de les saboter.
Mes soupçons ont été confirmés quand au
BUREAU j'ai intercepté par hasard un appel
où Todochoco était désigné comme « la cible »
et qui indiquait l'adresse de ce hangar.

Violet acquiesça :

– Il est clair que le COUPABLE appartient
à Superchoko. Et ce n'est pas Luz,
comme le croyait Hector,
mais... Alvarez !

LA CIBLE ?

– Quoi ? Comment
peux-tu en être
aussi sûre ?

Violet RÉPONDIT :

– Aujourd'hui,
nous sommes
allés dans les locaux

de Superchoko et nous l'avons rencontré. Dans ce qu'il a dit à Hector, quelque chose m'a intriguée, mais je n'arrivais pas à trouver quoi. Et c'est quand nous avons trouvé des cageots à **FRUITS** dans le hangar que j'ai compris !

– Sister, es-tu sûre de ce que tu dis ? J'avoue que j'ai du mal à te *SUIVRE*, commenta Pam.

Violet **SOURIT**.

J'AI TOUT COMPRIS !

– Vous ne vous souvenez pas ? Alvarez a dit que **Todochoco** faisait « mumuse avec des fruits »... Sauf que le seul à connaître l'incident des fruits dans le **CHOCOLAT** est forcément celui qui l'a organisé !

– Évidemment ! intervint alors Luz. Je me rappelle avoir entendu Alvarez commander

un chargement de fruits… Cela m'avait étonnée, parce que notre usine n'en utilise pas !

Les cousins De Moreno restèrent silencieux un instant. Ce fut Antonio qui parla le premier :

– Donc… tout ce qui s'est passé, c'était l'œuvre d'Alvarez ?

– Nous aurions dû le comprendre tout de suite, dit Hector. Il n'a jamais cessé de nous mettre des bâtons dans les roues, depuis le *premier jour* !

– Et en plus, il nous a pris notre meilleure collaboratrice… ajouta Antonio en posant la main sur l'épaule de *LUZ*, qui rougit.

– Désormais, c'est de l'histoire ancienne, conclut Colette. À présent, nous devons **RÉFLÉCHIR** à la meilleure façon de le coincer avant qu'il ne fasse d'autres dégâts !

Le plan
de Paulina

Pam fit un pas **en avant** et, brandissant comme un drapeau un chiffon qu'elle avait trouvé sur les cagettes, s'exclama :

– **Alors, qu'est-ce qu'on attend ?** Allons tout raconter à la police et faisons **ARRÊTER** cette espèce de baudruche !

Et elle fit mine de quitter le **HANGAR**, quand la voix de Colette la stoppa :

– Hum, Pam… en fait, nous ne pouvons pas…

– **SŒURETTE**, mais qu'est-ce que tu me racontes ?

– Coco a raison, expliqua Nicky. Je suis désolée, mais nous n'avons aucune preuve de la culpabilité d'**Alvarez**. Nous n'avons que des suppositions…

– Mais puisque nous l'avons entendu parler lui-même de ces fruits… Seul le SABOTEUR pouvait être au courant ! objecta Pam.

– Oui, mais il pourrait parfaitement NIER… dit Antonio. Il n'y a personne, à part nous, qui puisse TÉMOIGNER que cette phrase ait été prononcée, n'est-ce pas, Colette ?

Celle-ci hocha la tête, consternée.

Mais Pam ne voulait pas renoncer à son idée.

– Et ce hangar, avec tout ce qu'il contient ? Ce ne sont pas des PREUVES suffisantes ? s'écria-t-elle

NOUS N'AVONS AUCUNE PREUVE !

C'EST LUI LE COUPABLE !

en montrant le vieux camion avec ses caissettes perforées et tout le reste.

– Je crains que non, s'interposa Hector. Des CAGETTES de fruits qui sont vides, des boîtes perforées et quelques outils qui traînent ne prouvent rien…

– **Nom d'un vieux boulon grippé !** Alors nous ne pouvons rien faire ? lâcha Pam, désespérée, se laissant tomber sur une caisse en bois.

– Tout n'est pas forcément fichu… **MUR-** 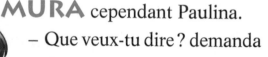 **MURA** cependant Paulina.

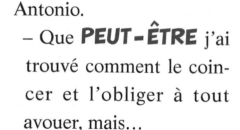

J'AI UN PLAN !

– Que veux-tu dire ? demanda Antonio.

– Que **PEUT-ÊTRE** j'ai trouvé comment le coincer et l'obliger à tout avouer, mais…

– Mais… quoi ? insista Violet.

Paulina se tourna vers Luz.

– Il nous faut ton aide, c'est toi qui devrais affronter **Alvarez** en personne, toute seule, et...

La jeune fille n'eut pas le temps de finir sa phrase que **LUZ** avait déjà compris et déclarait d'un ton décidé :

– Ne t'inquiète pas pour moi : je n'ai pas **peur** d'affronter cette baudruche ! Je ferai n'importe quoi pour aider **Todochoco**. Dis-moi à quoi tu penses.

Tous ses amis firent alors cercle autour de Paulina, qui leur expliqua son plan.

– Bravo, sister ! la félicita Pam. À présent, il ne nous reste plus qu'à préparer **NOTRE PIÈGE** !

LE PIÈGE
À SABOTEURS

Le lendemain, LUZ retourna au hangar, pour
mettre en route le PLAN concocté par Paulina.
Cette fois, cependant, elle était seule, attendant
qu'Alvarez fasse son APPARITION.
Quelques heures plus tôt, la **jeune fille** lui
avait laissé un message sur son répondeur télé-
phonique, en lui révélant qu'elle avait découvert
ses plans douteux pour saboter **Todochoco**.

PIÈGE POUR LES SABOTEURS !
POINT N° 1 : LAISSER UN
MESSAGE SUR LE RÉPONDEUR
D'ALVAREZ POUR MIEUX
L'APPÂTER.

Puis elle lui avait proposé qu'ils se rencontrent au hangar, tous les deux, pour discuter de certaines informations **importantes** qu'elle avait sur l'entreprise rivale.

En l'attendant, Luz se mit à marcher nerveusement de long en large, en espérant qu'Alvarez serait assez curieux pour répondre à l'**invitation**.

Tandis que les minutes passaient, elle perdait de plus en plus courage. L'avenir de Todochoco était entre ses mains : si elle échouait ?…

Soudain, un grincement lui fit tourner la tête vers la porte, l'arrachant à ses pensées : dans la lumière **éblouissante** venue de l'extérieur se découpait la silhouette d'Alvarez.

Luz **SURSAUTA**.

– Nous y voilà donc ! siffla le rongeur entre ses dents, avec une grimace de dépit.

Il avança vers la jeune fille avec une allure menaçante.

– C'est quoi, ce message que tu as laissé sur mon répondeur ? Une plaisanterie ?

Luz déglutit et dut faire appel à tout son **COU-RAGE**.

– Absolument pas ! Je sais tout sur tes SABO-TAGES à Todochoco !

Alvarez éclata d'un rire sonore.

– Ma petite, je ne vois pas de quoi tu veux par-ler ! Mais tu ferais bien de ne pas *LANCER* des accusations sans preuve !

Puis il la menaça :

– Tu irais à la rencontre de gros ennuis… Tu n'as donc pas pensé aux conséquences d'une accusation contre ton patron ? Travailler, pour toi, c'est **TRÈS IMPORTANT**, ou je me trompe ?

Luz se sentit défaillir. Si elle ne réussissait pas dans sa **MISSION**, elle perdrait son travail et serait la cause de problèmes pour ses amis.

Et puis, dans son esprit, surgit l'image des Téa Sisters, ses toutes nouvelles **amies** : elle repensa à la façon dont elles s'étaient précipitées sans hésiter à son secours, dont elles lui avaient rendu courage. Impossible de les décevoir !

Luz releva la tête et planta ses **YEUX** droit dans les yeux du rongeur, en le défiant.

– Il n'y aura pas de conséquences pour moi : j'ai les preuves de ce que je dis ! affirma-t-elle du ton le plus résolu qu'elle put trouver.

L'espace d'un instant, dans le regard d'Alvarez,

une lueur d'INQUIÉTUDE brilla, mais elle passa aussitôt.

– Qu'est-ce que tu racontes, petite impertinente ? Les preuves de quoi ?

– De tes SABOTAGES... Tu n'as pas été aussi attentif que tu croyais ! reprit-elle.

Alvarez se mit à rire de nouveau, NERVEU-SEMENT.

– Ah oui ? Allons-y, montre-moi tes preuves. Où sont-elles ?

Alvarez fit un pas vers Luz, obligeant celle-ci à RECULER.

– Je ne les ai pas ici, tu penses bien ! répondit-elle. Me crois-tu assez naïve pour les emporter avec moi, pour que tu cherches à me les prendre et à les détruire ? Non... Elles sont en lieu sûr !

Alvarez eut une grimace de rage.

– Je ne crois pas un seul mot de ce que tu racontes ! siffla-t-il.

– Ah bon ? répliqua la jeune fille. Dans ce cas, tu ne verras aucun inconvénient à ce que je les transmette directement à la POLICE ?

Une nouvelle fois, une lueur d'incertitude traversa le regard d'**Alvarez**.

Cela suffit à Luz pour comprendre que le piège commençait à FONCTIONNER.

DOUBLE COUP DE THÉÂTRE

Alvarez posa les poings sur les hanches, dans une attitude de défi.

– **ESPÈCE DE PETITE IDIOTE**, tu ne peux rien avoir découvert, parce que je n'ai rien fait de ce que tu dis !

Alvarez jouait les fanfarons, cherchait à **paraître** sûr de lui, mais il était nerveux.

– Ah ? Donc, ce n'est pas toi qui as versé des **FRUITS** dans la cuve de chocolat à Todo-choco ? Ni qui as lâché des **PARASITES** dans la plantation ?

– Bien sûr que non ! Et tu ne peux rien prouver !

– Justement, si ! hasarda **LUZ** en espérant être **CRÉDIBLE**.

Puis elle se tourna vers le camion de Super-choko à bord duquel se trouvaient les boîtes perforées.

– Quelqu'un a **VU** ce camion près de la planta-tion des cousins De Moreno, et… il a pris des **PHOTOGRAPHIES**!

Alvarez sursauta.

– Quoi ?

– Oui, renchérit la jeune fille. Je les ai glissées dans une enveloppe que j'ai cachée non loin d'ici.

– Dis-moi tout de suite où est cette enveloppe,
PETITE FOUINEUSE ! Tu vas regretter de
t'être mêlée de ce qui ne te regarde pas ! hurla
Alvarez, qui perdait complètement les pédales.
– Alors tu avoues que c'est bien toi qui es à
l'origine des SABOTAGES ! s'exclama Luz.
Le rongeur, se sentant découvert, éclata d'un
rire **FRACASSANT** et reconnut :
– Oui, c'est vrai, c'était moi ! Je ne pouvais pas

laisser une boîte de rien du tout
comme **Todochoco** remporter un prix aussi important !
– Je ne comprends pas… murmura Luz, ébahie. Le **Top
Choco** ?! Tu as fait tout
cela pour empêcher les **De
Moreno** de recevoir le prix ?
– Bien sûr ! Un prix aussi prestigieux apporte une masse d'investisseurs à l'ENTREPRISE qui le

gagne… et beaucoup d'investisseurs, ça veut dire beaucoup d'argent !

Puis il ajouta, méprisant :

– Ces De Moreno, avec leurs méthodes *dépassées* et leurs stupides rêves écolos, ne méritent pas cette chance-là ! Moi si, parce que je saurai le faire fructifier, ce PRIX ! J'ai déjà réfléchi à ce que je vais faire : je déboiserai un grand terrain pour le transformer en plantation, je triplerai la **production** grâce à un nouvel engrais chimique et…

– Mais c'est terrifiant !

La voix de Luz le réveilla de ses rêves de gloire.

C'EST TERRIFIANT !

– Les De Moreno croient en une entreprise qui respecte l'environnement, et leurs idées sont appréciées de tous !

– Plus pour longtemps ! grogna Alvarez. Grâce à mes petits

copains les **PARASITES**, leur principale plantation sera bientôt détruite et ils finiront en chemise ! D'ailleurs, si ça ne suffisait pas, je leur réserve encore quelques *tours*...

– Non ! s'écria Luz, les larmes aux yeux. Je t'en **empêcherai** !

– Et comment cela ? ricana le rongeur. Avec tes minables petites **PHOTOS** ? À présent, tu vas me dire où tu les as mises et je les détruirai ! Allez, parle !

Bouleversée par l'agressivité d'Alvarez, la jeune fille n'arrivait pas à prononcer un seul mot.

– **TU NE VEUX PAS AVOUER ?** insistait-il. Peu importe. Tu finiras bien par me le dire, gentiment ou par la force. Luis ! Diego ! Venez !

BRUSQUEMENT apparurent à la porte deux individus à la mine patibulaire. Un rictus se peignit sur la face d'Alvarez.

– Alors, on se croyait très forte, **sale gamine** ? Mais moi, je suis plus malin que

toi ! Et je suis venu avec mes assistants ! Maintenant, on va aller sagement tous ensemble chercher cette enveloppe où **TU AS CACHÉ** ces photographies…

Les deux rongeurs s'approchèrent de la jeune fille, prêts à s'emparer d'elle pour la traîner dans le camion d'**Alvarez**.

Les choses allaient de mal en pis, quand, à l'extérieur, une voix cria tout à coup :

– Elle ne peut plus t'arrêter, mais nous, si !

ON NE BOUGE PLUS !

Hector jaillit dans le hangar, aussitôt suivi par les Téa Sisters et la police locale.

Luz poussa un énorme SOUPIR de soulagement.

– Ouh là là, les garçons, j'ai cru que vous n'alliez jamais ARRIVER !

Paulina courut vers son amie Luz.

– Nous devions attendre qu'Alvarez avoue tout avant d'entrer !

– QU-QUOI ?!? grommela Alvarez, qui ne comprenait plus rien. Mais alors… alors c'était un piège ?!

– Hé oui ! s'exclama Violet. Nous étions dehors pendant ce temps-là, avec la POLICE, et nous avons entendu chacune de tes paroles…

– Et surtout ce que tu as dit à propos de Todochoco, ajouta Colette.

– M-mais… l'enveloppe… LES PHOTOS ?!? balbutia le rongeur, complètement perdu.

– Il n'y a pas de photos ! expliqua Luz en souriant. Nous n'avions aucune preuve pour t'**INCULPER** ! Il fallait donc que je te fasse parler…

Le rongeur devint rouge de **rage** et grogna :

– Je me suis fait avoir par une… une gamine !

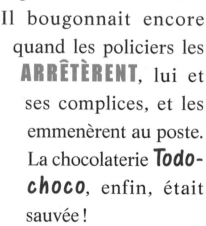

JE ME SUIS FAIT AVOIR !

Il bougonnait encore quand les policiers les **ARRÊTÈRENT**, lui et ses complices, et les emmenèrent au poste. La chocolaterie **Todo-choco**, enfin, était sauvée !

LA RÉCONCILIATION

Hector s'approcha de Luz.

– Merci ! Tu as été formidable...

– Oh, fit la jeune fille en rougissant. En réalité, j'avais très PEUR de ne pas arriver à faire avouer Alvarez et de...

Hector lui prit les mains et les tint serrées entre les siennes.

– Au contraire, tu as été **PARFAITE** : tu as réussi à le faire tomber dans notre piège... et ainsi tu as sauvé notre chocolaterie.

– Je sais que tu n'avais plus confiance en moi, Hector, s'exclama Luz, mais j'aurais fait n'importe quoi pour **Todochoco**, pour Antonio et pour... pour toi...

Elle baissa le **REGARD**, incapable d'en dire plus.

Le garçon lui effleura *délicatement* le visage.

– J'ai été stupide de croire que tu pouvais être **impliquée** dans ces sabotages. Mais quand tu es partie sans explications, j'étais si en **colère** après toi… et après moi aussi.

La jeune fille le regarda, étonnée.

– Oui, poursuivit Hector. Je ne comprenais pas ton comportement et je croyais que je n'avais pas été capable de te **retenir**… La vérité, c'est que tu me manquais tellement !

Luz **ROUGIT** encore plus.

– Je me rappelle toutes les journées passées ensemble à étudier nos projets pour monter l'**ENTREPRISE** et imaginer comment les réaliser, évoqua le garçon. Et ensuite les travaux pour remettre en état les plantations et les hangars… Je n'ai jamais oublié ces moments-là, **LUZ**. Et je ne veux plus sentir à ce point combien ils me manquent !

La jeune fille le fixa sans comprendre. L'expression d'Hector se fondit en un sourire **DOUX**, et il expliqua :

– Ce que je suis en train de te demander, Luz, c'est de revenir travailler avec nous.

– Je… vraiment… je ne sais pas… BAL-BUTIA-t-elle, en pleine confusion.

– Ne t'inquiète pas pour ta famille : à présent, nos affaires vont bien et **Todochoco** se développe, tu vas pouvoir les *aider* !

Luz, les yeux **BRILLANTS**, murmura :

– C'est vrai, tu me donnerais une *deuxième chance* ?

– Et comment ! Je suis sûr qu'avec toi **Todo-choco** deviendra la meilleure des chocolateries !

Luz sourit et répondit :

TU M'AS MANQUÉE !

– J'accepte ! Il n'y a rien que je ne **DÉSIRE** plus que revenir travailler avec vous, et retrouver notre belle amitié !

Tous deux se prirent dans les br@s, et les Téa Sisters durent se retenir pour ne pas applaudir.

– **Enfin, tout s'est éclairci !** commenta Nicky.

– Peut-être pas exactement tout… murmura Colette tout bas.

– Que veux-tu dire, sister ? dit Pam, PER-PLEXE.

– Il me reste une question à poser à Luz, mais je voudrais choisir le bon moment.

Le groupe s'ACHEMINA vers la camionnette qui ramènerait tout le monde dans les locaux de Todochoco. Chemin faisant, Colette prit LUZ à part.

– Je voulais te demander quelque chose... Le fameux jour où nous t'avons surprise à la fabrique, tu avais une enveloppe que tu cachais dans ton dos, n'est-ce pas ?

– Oui. Je ne pouvais pas parler directement à **Hector**, alors j'avais décidé de lui écrire mes soupçons dans une sorte de lettre anonyme que j'aurais laissée à l'intérieur de l'entreprise... C'est pour cette raison que j'étais là !

Colette resta bouche bée.

– Tes soupçons ?! Et moi qui croyais qu'il s'agissait d'une lettre d'**AMOUR** !

Luz rougit encore.

– Mais non… Qu'as-tu imaginé ?

– Coco… cette fois, ton intuition légendaire a fait plouf… commenta Nicky en riant.

– ON DIRAIT BIEN, OUI… confirma Colette.

Puis, tandis qu'elle regardait LUZ s'approcher d'**Hector** et lui prendre la main, elle ajouta :

– Disons que j'ai peut-être UN PEU ANTI-CIPÉ !

MON INTUITION NE ME TROMPE JAMAIS !

LE PRIX

Le matin suivant, les Téa Sisters se réveillèrent ÉLECTRISÉES. En effet, le moment que tous attendaient était arrivé : bientôt, une délégation du jury du prix **Top Choco** allait venir inspecter les plantations et l'entreprise pour décider si Todochoco méritait ou pas de gagner !

– *OnsecalmeOnsecalmeOnsecalmeOnsecalme !* se répétait Colette.

– Que se passe-t-il ? demanda Pam en regardant son amie mettre sens dessus dessous tout le contenu de l'armoire dans laquelle, dès leur arrivée, elle avait accroché la moitié de sa garde-robe.

– C'est une urgence ! Nous devons immédiatement courir à la *boutique* la plus proche ! explosa Colette.

– Boutique ? De quoi tu parles ? dit Pam. Les juges seront là d'un moment à l'autre et nous ne pouv…

– Justement ! soupira son amie en se laissant

tomber sur son lit. Ils arrivent et je n'ai rien à me mettre ! Une robe du soir, c'est trop *élégant*, une tenue plus sportive ne va pas non plus…

– Oooh, Coco ! fit Violet. Sers-toi de ta créativité et invente un mélange de styles…

– UN MÉLANGE ? Bravo, Vivi ! Je n'y avais pas pensé !

Colette se replongea dans l'armoire, dont elle s'extraya au bout de quelques minutes en arborant une tenue **parfaite** : chemisette de soie fantaisie très colorée et pantalon plus sportif.

– Un mixte parfait entre *élégance* et confort ! s'exclama la jeune fille en pirouettant sur elle-même.

Quelques minutes plus tard, les filles se rejoignaient dans l'entrée

de la chocolaterie, où **Hector** et Antonio revenaient de la visite des plantations faite avec les membres du jury.

Les rongeurs semblaient AGRÉABLE-MENT surpris et échangeaient entre eux des opinions positives.

– Des patates douces et du savon pour éloigner les INSECTES, remarquait l'un d'eux. Excellent ! Vous avez redécouvert des méthodes anciennes… qui sont toujours efficaces !

La jurée qui était à côté de lui acquiesça et ajouta :

– Je vous fais mes compliments ! Il ne nous arrive pas souvent de trouver une entreprise aussi attentive à l'environnement.

Antonio et Paulina échangèrent un regard de complicité : grâce à leur visite au GRAND-PÈRE, tout s'était résolu au mieux…

Hector déclara :

– À présent, c'est le moment de vous faire visiter l'entreprise. SUIVEZ-MOI !

Les Téa Sisters s'unirent au groupe qui se dirigea dans le hall principal, où les machines TRAVAILLAIENT à plein rythme.

Au centre de la salle, sur une estrade, trônait un objet mystérieux recouvert d'une toile verte.

– Qu'y a-t-il donc là-dessous ? demanda l'un des juges.

– Une surprise que vous découvrirez plus tard, répondit Antonio avec un sourire. Pour

l'instant, nous voudrions vous **MONTRER** le processus de fabrication du chocolat. Là-bas, vous pouvez voir les bassins avec les fèves à peine récoltées dans les PLANTA-TIONS, prêtes à fermenter et...

– Regardez cette b e a u t é ! intervint alors Pam en tirant vers le jury un sac de fèves si lourd qu'il la fit s'étaler malen-contreusement par terre.

Le sac s'ouvrit, éparpillant son contenu aux pieds des jurés...

L'un des

membres du jury se retrouva avec des fèves sous la semelle et perdit l'**équilibre**, basculant vers l'avant. Au dernier moment, elle se rattrapa instinctivement au grand tissu vert, lequel **DÉGRINGOLA** tel un rideau de scène, révélant...

– Mais... c'est un... un **soleil**... s'exclama Colette.

WAOUH!

– ... entièrement en **CHOCOLAT** ! ajouta Paulina pour terminer la phrase, avec une expression ébahie.

Antonio aida la rongeuse à se relever et expliqua :

– C'était une petite SURPRISE...

– Petite ?!? s'écria Pam. **Par tous les boulons déboulonnés**, elle fait plus d'un mètre !

Hector se mit à rire.

– Nous avons voulu réaliser le symbole de Todochoco en utilisant notre meilleur chocolat, le **Black Special** !

– Les rayons, continua son cousin, représentent toutes les personnes qui, par leur travail et par leur soutien, nous ont aidés à réaliser notre **RÊVE** !

Les jurés échangèrent des regards entendus. Inutile d'effectuer des inspections supplémentaires : leur décision était prise !

– Je crois parler au nom de tous, dit alors la rongeuse qui avait fait cette glissade sur les fèves de cacao, en disant que cette année **Todochoco** a mérité amplement notre prix ! C'est donc avec un immense **PLAISIR** que nous vous invitons à prendre part, ce soir, à la cérémonie officielle de remise du prix. Nous vous attendons sur l'estrade !

Après le départ des jurés, les cousins De Moreno se laissèrent enfin aller à leur joie.

– ON A RÉUSSI! ON A RÉUSSI! criait Antonio en embrassant dans la foulée Paulina, qui devint toute rouge.

Les autres Téa Sisters, derrière eux, se tapèrent les mains, HEUREUSES : cette aventure n'aurait pas pu mieux se terminer!

Au revoir !

Ce soir-là, Colette n'eut pas le moindre doute sur ce qu'elle devait porter : elle sortit de l'armoire la robe la plus *élégante* qu'elle avait apportée et attacha ses cheveux par un fermoir en forme de SOLEIL qu'elle avait confectionné elle-même avec le papier doré du chocolat **Black Special** !

– Alors là, sœurette, on peut dire que tu es d'un chic ! commenta Pam.

– Merci ! Je dois être à

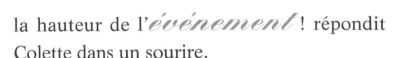
la hauteur de l'*événement* ! répondit Colette dans un sourire.

La cérémonie se déroulait dans un luxueux palais blanc, et Antonio et **Hector** les attendaient déjà à l'entrée.

– Paulina, regarde comme ton cavalier est beau ! dit Colette en faisant un CLIN D'ŒIL à son amie, qui rougit.

Antonio S'AVANÇA pour donner le bras à Paulina et lui chuchota :

– Tu es splendide. Quand nous jouions ensemble dans la cour de l'école, je n'aurais jamais imaginé que nous vivrions un jour une SOIRÉE comme celle-là !

– Moi non plus, avoua Paulina. Mais Hector et toi, vous avez amplement mérité ce succès !

Ils entrèrent tous dans la **grande** salle où devait se dérouler la cérémonie de la remise des prix, et prirent place au premier rang.

Les juges appelèrent sur l'estrade les cousins

De Moreno et leur remirent le trophée tant convoité : une grande plaque en OR !

– Pour moi, c'est un rêve qui devient réalité, déclara Hector dans le micro. Je voudrais remercier tous ceux qui nous ont aidés, en particulier ces **cinq filles** très spéciales qui ne nous ont jamais lâchés : nos amies les Téa Sisters !

Toute la salle *éclata* en applaudissements, tandis que les filles se **REGARDAIENT** les unes les autres, heureuses.

Après la cérémonie, tous les invités se déplacèrent dans un salon richement décoré où les attendait un délicieux buffet. Pam y entra la première et...

FÉLICITATIONS !

MERCI À TOUS !

– *Les amis, regardez cette merveille des merveilles !* s'exclama-t-elle avec enthousiasme.

Au centre de la table, une grande fontaine installée pour l'occasion laissait couler un chocolat très pur.

– Après ce voyage, je crois que je ne mangerai plus de CHOCOLAT pendant longtemps ! dit Violet en riant.

– Sans compter qu'à notre retour nous aurons du mal à retrouver pareils délices… ajouta Paulina, soudain ATTRISTÉE.

– Ne t'inquiète pas ! lui dit Antonio. **Hector** et moi ferons en sorte que Raxford reçoive chaque mois une provision de tous les produits **Todochoco** ! Ainsi, tu te souviendras de moi… je veux dire, de nous…

Paulina SOURIT.

– Il est impossible que je t'oublie. Pendant toutes ces années, je ne t'ai pas oublié… et

maintenant que nous nous sommes retrouvés, je n'ai pas l'intention de te perdre à nouveau !

Les autres Téa Sisters étaient d'accord avec leur **amie**.

Elles commentèrent, à l'unisson :

- Une amitié aussi... délicieuse, comment pourrait-on l'oublier ?

PARFUM DE CHOCOLAT!

LE CHOCOLAT :
UNE HISTOIRE ANCIENNE

Le CACAOYER est originaire d'Amérique latine, dans les zones tropicales. Selon les historiens, il existe depuis plus de six mille ans ! Les peuples qui habitaient anciennement ces régions, les INCAS, les MAYAS et les AZTÈQUES, en connaissaient déjà l'usage.

Les premiers à CULTIVER le cacao furent les Mayas, au Mexique, il y a environ trois mille ans. En mélangeant des graines de cacao torréfiées, puis écrasées en poudre, avec de l'eau et des épices, ils préparaient une boisson dont on peut dire qu'elle est l'ancêtre du chocolat chaud !

Il semble que MONTEZUMA, cinquième empereur des Aztèques, ait été un grand consommateur de chocolat. Son nom en ce temps-là était XOCOLATL (*xoco* signifie « amer » et *latl* « eau »), et il avait sans doute un goût assez âpre. Les Aztèques, eux, en consommaient surtout pour supporter la fatigue, et l'enrichissaient avec du POIVRE et du PIMENT.

En 1502, lors de son quatrième et dernier voyage en Amérique, CHRISTOPHE COLOMB goûta au chocolat.
Mais il faut croire que cela ne lui plut guère, puisqu'il ne daigna pas en rapporter en Europe !

Ce fut en réalité HERNÁN CORTÉS, en 1528, qui rapporta en Espagne des fèves de cacao après une expédition militaire au Mexique.
À partir de cette date, le chocolat s'est RÉPANDU avec succès dans toute l'Europe, devenant même une des boissons les plus appréciées de l'aristocratie.

DU PLANT DE CACAOYER...
JUSQU'AU CHOCOLAT !

Pour devenir le chocolat tel que nous le connaissons, les graines extraites du cacaoyer subissent un long travail de transformation, qui se divise en plusieurs phases.

1. RÉCOLTE

Le nom scientifique de l'arbre de cacao est *Theobroma cacao*, ce qui en grec veut dire «nourriture des dieux»! Les cacaoyers mesurent 5 à 10 mètres de haut et produisent des fruits jaune-rouge appelés CABOSSES, qui sont récoltés deux fois par an.

2. FERMENTATION

Chaque cabosse contient de 20 à 50 graines, appelées fèves. Celles-ci sont extraites des cabosses en même temps que la partie blanche qui les enveloppe, puis sont mises à fermenter dans des caisses de bois spéciales pendant cinq à six jours. C'est durant cette période qu'elles changent de couleur et de consistance, se ramollissent et prennent un caractéristique ARÔME DE CHOCOLAT.

3. SÉCHAGE

Après la fermentation, les fèves sont mises à SÉCHER AU SOLEIL (ou à la chaleur artificielle) pendant une période de sept à quinze jours. Elles sont ensuite nettoyées.

4. TORRÉFACTION

Les fèves sont alors torréfiées à l'intérieur de FOURS SPÉCIAUX.

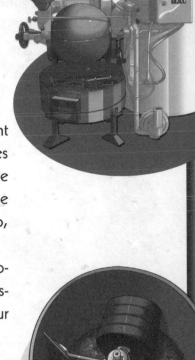

5. CONCASSAGE

Une fois refroidies, les fèves de cacao sont épluchées, nettoyées, puis broyées entre des cylindres chauffés. Ainsi, la partie grasse de la graine se mélange au reste, formant une pâte fluide qu'on appelle liqueur de cacao, ou PÂTE DE CACAO.

La liqueur de cacao peut déjà servir à produire du chocolat, mais il est également possible de continuer à travailler le chocolat pour séparer la partie grasse du reste.

6. SÉPARATION DE LA MATIÈRE GRASSE

Une partie de la matière grasse est extraite du reste du cacao : c'est le BEURRE DE CACAO, qui sert aussi dans les produits de beauté ! Le cacao restant, lui, est broyé, pour obtenir... de la POUDRE DE CACAO.

Pour préparer le CHOCOLAT et les bonbons au chocolat, on ajoute d'autres produits à la pâte de cacao, tels que du sucre, du lait en poudre, des noisettes et toutes sortes d'autres ingrédients aromatiques.

LES PRALINÉS

Le chocolat praliné est un chef-d'œuvre de la confiserie ! Il s'agit d'une ENVELOPPE de chocolat qui renferme une préparation sucrée et moelleuse, comme une crème au lait, aux noix, aux noisettes, aux amandes, au nougat…

Il semblerait que l'invention de ce délice chocolaté soit tout simplement la conséquence d'une… ERREUR EN CUISINE !

On raconte, en effet, que le cuisinier du comte du PLESSIS-PRASLIN fit tomber par erreur du miel dans un mélange d'amandes concassées et, pour ne pas tout jeter, décida de les recouvrir de chocolat et de les servir en dessert. Cette nouveauté rencontra un tel succès qu'on lui donna le nom du comte ! Le résultat, reconnaissons-le, est un VÉRITABLE RÉGAL !

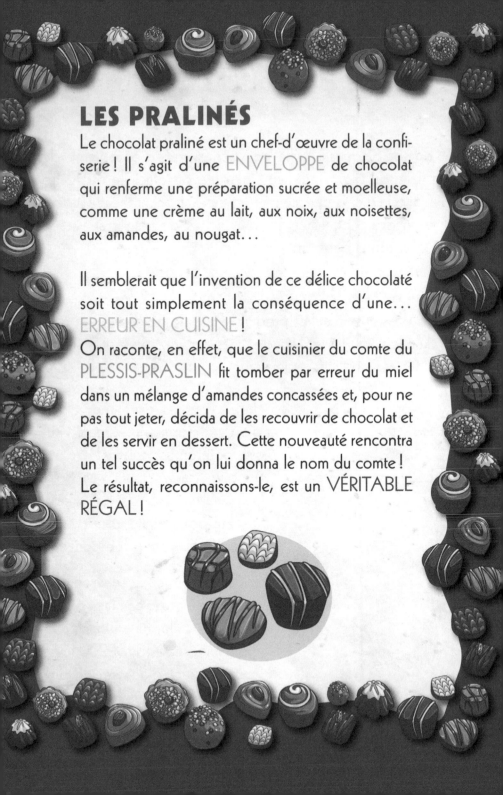

En 1828, dans la ville de Gênes, sur la côte ligure de l'Italie du Nord, eut lieu l'inauguration officielle du Teatro Carlo Felice, resté à ce jour un très important théâtre italien. L'un des chocolatiers les plus riches de la ville arriva à la cérémonie dans un carrosse si POMPEUX et RICHEMENT ORNÉ qu'on le prit pour le roi de Sardaigne Charles-Félix de

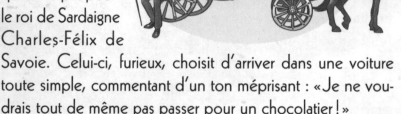

Savoie. Celui-ci, furieux, choisit d'arriver dans une voiture toute simple, commentant d'un ton méprisant : «Je ne voudrais tout de même pas passer pour un chocolatier!»
La phrase est restée si célèbre que «passer pour un chocolatier» (*FARE LA FIGURA DEL CIOCCOLATAIO*) signifie aujourd'hui pour les Italiens se comporter de manière inappropriée.

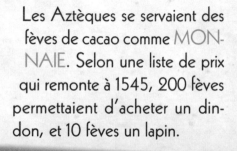

Les Aztèques se servaient des fèves de cacao comme MONNAIE. Selon une liste de prix qui remonte à 1545, 200 fèves permettaient d'acheter un dindon, et 10 fèves un lapin.

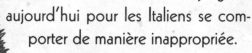

La plus grande sculpture jamais réalisée en chocolat est un SAPIN DE NOËL confectionné par l'artiste chocolatier français Patrick Roger en décembre 2010. Il atteignait 10 MÈTRES DE HAUT !

LA PLUS LONGUE TABLETTE du monde, en revanche, a été préparée en Italie, le 16 novembre 2011, par Mirco Della Vecchia, Renato Zoia et Giuseppe Sartori. Elle mesurait 15,9 mètres de long et 2,03 mètres de large !

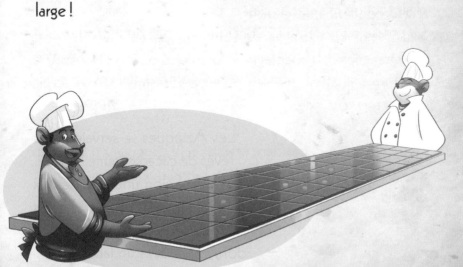

NOTRE AMI LE CHOCOLAT !

Grâce à son importante teneur en FER, en MAGNÉSIUM, en POTASSIUM et en CALCIUM, le chocolat est un aliment particulièrement indiqué pour tous ceux qui pratiquent une activité physique intense.

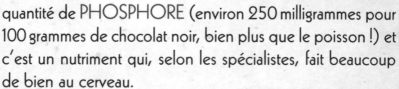

Le chocolat est, de plus, un GRAND ALLIÉ DE NOTRE MÉMOIRE, car il contient une grande quantité de PHOSPHORE (environ 250 milligrammes pour 100 grammes de chocolat noir, bien plus que le poisson !) et c'est un nutriment qui, selon les spécialistes, fait beaucoup de bien au cerveau.

ATTENTION cependant : même si le chocolat est délicieux et qu'il a toutes ces propriétés bénéfiques, IL NE FAUT PAS EXAGÉRER et en consommer trop !

Téa Sisters

JOURNAL à dix pattes !

UN COLLIER EN PAPIER

Sur les étals du MARCHÉ D'OTAVALO, j'ai vu toutes sortes de colliers magnifiques et de boucles d'oreilles joliment colorées, mais impossible d'acheter tout ce qui me plaisait ! Heureusement, Luz a bien voulu m'apprendre à réaliser quelques bijoux équatoriens typiques. **APPRENDS, TOI AUSSI !**

IL TE FAUT :
- du papier de couleur ;
- de la colle ;
- un bâtonnet en bois ;
- du fil pour collier ou de la ficelle ;
- des ciseaux à bout rond.

1. Découpe un grand nombre de triangles en papier longs de 21 cm et larges à la base de 1,5 cm environ.

2. Pose le bâtonnet en bois sur la base du premier triangle et enroule le papier ; fixe-le à la fin par un point de colle. Retire le bâtonnet et recommence l'opération pour chaque triangle de papier découpé.

3. Te voilà avec une grande quantité de petites perles en papier ! Enfile-les sur le fil ou la ficelle. Quand ton collier est suffisamment long pour que tu puisses y passer la tête, ferme-le par un nœud.

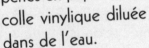

D'AUTRES IDÉES ENCORE...

— Découpe des triangles de dimensions différentes, afin d'obtenir des perles de toutes tailles.

— Pour un effet de brillance, tu peux passer sur tes perles en papier un pinceau trempé dans un peu de colle vinylique diluée dans de l'eau.

DES BOUCLES D'OREILLES AVEC DES PLUMES DE TOUTES LES COULEURS

Ces boucles d'oreilles peuvent être assorties au collier en perles de papier que tu viens d'apprendre à faire dans les pages précédentes, mais elles sont un bijou à elles seules. **ESSAIE TOI AUSSI D'EN FABRIQUER !**

IL TE FAUT :
- une paire de boucles d'oreilles en forme d'anneau ;
- du fil de coton ou de laine de couleur ;
- des feuilles de plastique de couleur ;
- des ciseaux à bout rond.

1. Recouvre le cercle des boucles d'oreilles avec un fil de couleur ou, si tu préfères, plusieurs couleurs différentes selon le modèle ci-contre.

Quand le cercle est entièrement recouvert, fais passer le fil de l'autre côté, comme si tu devais tracer le diamètre, et fixe-le avec un nœud.

Répète cette opération plusieurs fois, comme pour créer un filet sur les trois quarts de la boucle.

2. Reproduis la forme des plumes sur les feuilles de plastique de couleur, puis découpe-les. Comme modèle, tu peux utiliser la plume dessinée ci-contre, après l'avoir scannée puis un peu agrandie.

Prépare deux ou trois plumes pour chaque boucle d'oreille.

3. Attache ensemble les plumes et fixe-les à la première boucle avec un fil.

Répète l'opération avec l'autre boucle.

Et te voilà prête pour arborer tes nouvelles boucles d'oreilles SUPER CHIC !

METS UN ARC-EN-CIEL DANS TES CHEVEUX !

Si tu as les cheveux longs, prends exemple sur les jeunes Équatoriennes et tente de réaliser cette coiffure simple, mais **D'UN GRAND EFFET !**

IL TE FAUT :
– deux élastiques à cheveux ;
– un long ruban de coton de couleur ;
– des fils de coton de différentes couleurs ;
– de petites perles.

1.

Rassemble tes cheveux en une queue basse avec un élastique et fixe-les avec l'autre élastique tout au bout.

Attache une extrémité du ruban au premier élastique, puis enroule-le autour de tes cheveux jusqu'à l'élastique du bas, où tu l'attacheras par un autre nœud.

2.

De la même façon, enveloppe autour de ta queue des fils de coton de différentes couleurs, en laissant quelques centimètres flotter au bout.

3.

Enfile quelques perles à l'extrémité des fils, arrête-les en faisant un nœud... TA COIFFURE EST PRÊTE !

4.

QU'AS-TU DONC SUR LA TÊTE?

Malgré son nom, le CÉLÈBRE CHAPEAU APPELÉ PANAMA ne vient pas du Panamá, mais… d'Équateur! Il est réalisé à partir de fibres d'un type particulier de palmes tressées à la main.
Si tu as un vieux chapeau d'une forme plus ou moins semblable, il te sera facile de le personnaliser **EN QUELQUES ÉTAPES!**

IL TE FAUT :
— un chapeau ;
— des morceaux de feutre de couleur ;
— un ruban d'au moins 4 cm de large et d'environ 60 cm de long ;
— des ciseaux à bout rond ;
— de la colle à tissu.

1. Photocopie la silhouette du lama de la page suivante. En te faisant aider d'un adulte, sers-t'en comme modèle pour découper une certaine quantité de lamas dans les morceaux de feutre.

2. Pose le ruban autour du chapeau pour mesurer la circonférence précise, et coupe-le à la bonne taille. Colle les lamas dessus.

3. Colle le ruban sur le chapeau…
VOILÀ UN COUVRE-CHEF
ORIGINAL !

JEU

NOTRE PETIT DÉJEUNER ENSEMBLE!

Hector a pris deux photographies des Téa Sisters pendant qu'elles prenaient leur petit déjeuner sur la véranda en compagnie d'Antonio.
Les deux photos semblent pareilles, mais... elles ne le sont pas !

Il y a en réalité
6 DIFFÉRENCES :
les vois-tu ?

La solution est à la page 214.

SAUCISSON DE CHOCOLAT

Grâce à notre aventure en Équateur, j'ai appris un grand nombre de secret sur le chocolat ! Voici les meilleures recettes que j'ai expérimentées. Fais-toi aider par un adulte et... **ESSAIE CES RECETTES TOI AUSSI !**

INGRÉDIENTS

100 g de biscuits secs – 4 jaunes d'œuf – 4 grandes cuillerées de sucre en poudre – 10 g de beurre – 6 grandes cuillerées de cacao en poudre – 100 g d'amandes effilées – du sucre glace

1. MÉLANGE les jaunes d'œuf avec le sucre jusqu'à obtenir une préparation moelleuse. AJOUTE le beurre fondu et le cacao.

2. ÉMIETTE grossièrement les biscuits secs et ajoute-les au mélange. Incorpore les amandes effilées.

3. DÉPOSE la préparation sur une feuille de papier sulfurisé et roule-la pour lui donner la forme d'un gros saucisson. PLACE-LE au réfrigérateur pour une heure et demie.

4. SORS ton saucisson de chocolat du réfrigérateur, SAUPOUDRE-LE de sucre glace et SERS-LE découpé en tranches.

BON APPÉTIT !

BOULETTES DE CHOCOLAT

INGRÉDIENTS

100 g de biscuits secs — 50 g de cacao en poudre — 1 jaune d'œuf — 50 g de beurre — 2 grandes cuillerées de sucre en poudre — du sucre glace

1. AMALGAME le sucre et le beurre fondu jusqu'à obtenir un mélange crémeux. AJOUTE le cacao et le jaune d'œuf.

2. ÉMIETTE finement les biscuits secs et mélange-les à la pâte. Pour bien émietter les biscuits, SERS-TOI d'un rouleau à pâtisserie !

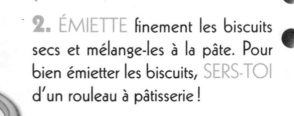

3. DONNE à ta préparation la forme d'un long bâton d'environ 4 cm de diamètre. DÉTACHE un morceau de pâte et donne-lui la forme d'une jolie petite boule de chocolat.

SAUPOUDRE ensuite les boules de sucre glace ou de cacao.

4. DISPOSE les boulettes sur une grande assiette et place-la au réfrigérateur pendant environ deux heures. N'oublie pas de sortir l'assiette au moins une demi-heure avant de l'apporter à table !

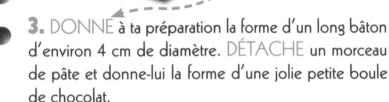

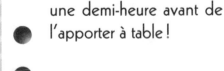

CETTE RECETTE EST FACILE ET PARFAITE POUR LES FÊTES !

RECETTE

LES PETITES COUPES GOURMANDES

INGRÉDIENTS

2 tablettes de chocolat fondant – de la crème Chantilly – 1 barquette de fraises – barquette de framboises – du sucre glace

1. Avec l'aide d'un adulte, FAIS FONDRE au bain-marie les deux tablettes de chocolat, jusqu'à obtenir une CRÈME fluide mais dense.

2. VERSE la crème de chocolat dans de petits moules en papier, en FORMANT une couche d'1/2 cm sur le fond et les côtés.

3. PLACE les moules dans le réfrigérateur. Quand le chocolat est refroidi et solidifié, ENLÈVE les moules en papier, afin de n'avoir plus que de petites coupes de chocolat.

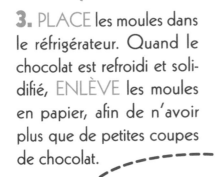

4. REMPLIS ces coupes de crème Chantilly et décore-les avec des fraises et des framboises. TERMINE en saupoudrant de sucre glace.

UNE SUGGESTION : Au lieu d'utiliser de la chantilly en bombe, tu peux monter de la crème fraîche bien froide avec une pincée de vanille en poudre ou de cannelle !

ET TU ÉTONNERAS TOUS TES AMIS !

QUEL DESSERT AU CHOCOLAT ES-TU?

1. LES VACANCES IDÉALES POUR TOI DOIVENT ÊTRE...

A. Au grand air, à la découverte des beautés artistiques et naturelles.

B. Une surprise, avec plein de nouveaux amis à rencontrer.

C. Pleines d'aventures, dans un lieu riche en émotions.

D. Avec papa et maman.

2. AU DÎNER, AU RESTAURANT, TU COMMANDES...

A. Ton plat préféré.

B. Le plat surprise.

C. La spécialité du chef.

D. La même chose que tes amis.

3. UNE AMIE T'INVITE AU CINÉMA VOIR UN FILM QUE TU AS DÉJÀ VU...

A. Tu le lui dis, et tu lui proposes de faire autre chose.

B. Tu refuses.

C. Tu lui proposes un autre film.

D. Tu l'accompagnes : au fond, pourquoi ne pas revoir ce film ?

4. La Téa Sister qui te ressemble le plus, c'est...

A. Paulina.
B. Colette.
C. Nicky.
D. Tu te retrouves un peu dans chacune !

5. Ton sport préféré, c'est...

A. Le volley-ball et les sports d'équipe.
B. Tu aimes découvrir des sports insolites.
C. Tous les sports au grand air !
D. La danse.

6. Tes chaussures idéales sont...

A. Une paire de bottes confortables.
B. Une paire de tennis à la mode.
C. D'élégantes chaussures vernies.
D. Des ballerines.

RÉSULTATS

Majorité de réponses A : mousse au chocolat. Tu es une personne équilibrée, curieuse et gaie, et cependant prudente. Tu es une amie fiable, et chacun apprécie ta compagnie !

Majorité de réponses B : boîte de chocolats. Tu n'es pas un être de routine, tu aimes le changement. Tu adores les surprises, tu débordes d'idées et tu es une amie très vive !

Majorité de réponses C : fondant au chocolat. Tu as un caractère décidé et tu n'aimes pas les demi-mesures. Tu es une amie loyale et tu ne supportes pas les injustices !

Majorité de réponses D : tasse de chocolat chaud. Tu es une personne affectueuse et compréhensive. Tu es très douce et tu es une amie sur laquelle on peut toujours compter !

Un jeu pour toi... en guise de petite douceur !
Inscris dans les cases les noms des objets dessinés dans la page
ou ce qu'ils évoquent et découvre, dans la **COLONNE JAUNE**,
la consistance du chocolat que je préfère !

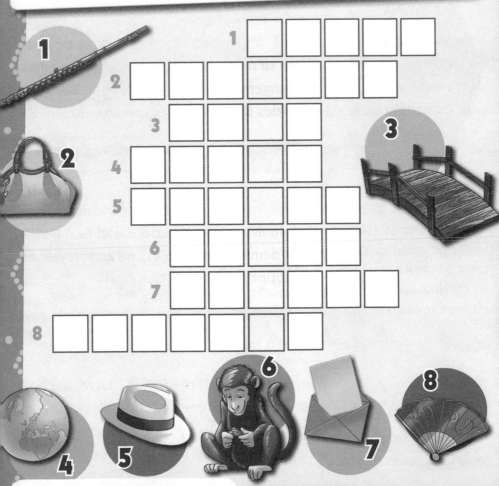

La solution est à la page 214.

LES ANIMAUX DE L'ÉQUATEUR

En me promenant en Équateur, j'ai découvert que la faune de ce pays est très riche et variée, et que certains animaux sont... vraiment un peu bizarres. **REGARDE CEUX-CI !**

IGUANES

Ces curieux reptiles ressemblent à de petits dragons ou à des animaux préhistoriques. Ils vivent en grandes colonies dans l'archipel des îles Galápagos, mais aussi dans de nombreux autres endroits d'Équateur.

TORTUES

Il existe en Équateur différentes espèces de tortues. La plus célèbre est la tortue géante, ou tortue des Galápagos, qui peut atteindre 250 kilos et vivre environ 150 ans. C'est une espèce qui est actuellement considérée comme menacée.

FOUS À PIEDS BLEUS

Ce sont de sympathiques oiseaux marins reconnaissables à la couleur bleue de leurs pattes !

CHACUN CHEZ SOI...

Peux-tu attribuer sa maison à chacun
des animaux présents sur la page précédente ?

1. Nid des...

2. Nid des...

3. Nid des...

La solution est à la page 215.

Solutions

Solution du jeu
NOTRE PETIT DÉJEUNER
ENSEMBLE !
pages 200-201

Solution du jeu
PETITE DOUCEUR
AMUSANTE...
page 211

1 F L Û T E
2 S A C O C H E
3 P O N T
4 M O N D E
5 P A N A M A
6 S I N G E
7 L E T T R E
8 É V E N T E R

Solutions

TABLE DES MATIÈRES

DANS LA MÊME COLLECTION

Et aussi...

20

21

22

Hors-série
Le Prince de l'Atlantide

Hors-série
Le Secret des fées du lac

Hors-série
Le Secret des fleurs de lotus

ÎLE
DES BALEINES

L'île des Baleines

1. Pic du Faucon
2. Observatoire astronomique
3. Mont Ébouleux
4. Installations photovoltaïques pour l'énergie solaire
5. Plaine du Bouc
6. Pointe Ventue
7. Plage des Tortues
8. Plage Plageuse
9. Collège de Raxford
10. Rivière Bernicle
11. *L'Antique Cancoillotterie,* restaurant et siège des *Messageries Ratiques – Transports maritimes*
12. Port
13. Maison des Calamars
14. *Zanzibazar*
15. Baie des Papillons
16. Pointe de la Moule
17. Rocher du Phare
18. Rochers du Cormoran
19. Forêt des Rossignols
20. Villa Marée, laboratoire de biologie marine
21. Forêt des Faucons
22. Grotte du Vent
23. Grotte du Phoque
24. Récif des Mouettes
25. Plage des Ânons

Au revoir,
à la prochaine aventure !